この国は歪んだニュースに溢れている

辛坊治郎

PHP

はじめに

久しぶりの時事問題解説本です。

なぜ「久しぶり」なのかと言うと、長年私の本の編集を担当してくれていた人がしばらく出版業界を離れていたためです。このほど晴れて?当該人物が出版業界に復帰することになり、復職祝いを兼ねて本書の出版に取り組むことになりました。

私はこの間も「辛坊治郎メールマガジン」などで文字による情報発信を続けており、本書はそれらの文章を内容ごとに項目立てして、最新の知見を織り込んで再編集したものです。出版に当たって過去に書いた文章を読み直すと、予言めいた書き込みが、時間の経過とともに現実と化していることに改めて驚きます。

私の先見性を誇るつもりはありません。どうやらこの国は今、さまざまな未来の可能性に扉を閉ざし、後ろ向きに走り出しているように見えます。走り出しているものの先にあるものを予見するのは、そんなに難しいことではありません。だからこそ、私のような者にすら未来が見通せるのでしょう。この事態はマズイです。

先日地方で講演をしていて、こんな意見に出くわしました。

「今までの日本は豊かさばかりを追い求めたために、どんどんいびつな国になってしまったように思う。これからは経済発展、ＧＤＰの増加など求めず、人口の少ない地方でののんびりとした生活を楽しむべきではないのか？」

私はこの意見を全否定しません。なぜなら私自身、そんな生活にあこがれてきましたし、今でも地方や海外の島で悠々自適の生活をすることを夢見ています。

しかしそれには、ある程度のお金が必要です。海外の島で病気に罹《かか》ったら、自費診療で現地の病院で診てもらう必要があります。国内なら公的医療保険でほとんどの事態はカバーしてもらえますが、これは日本にその制度を支える経済力があるから可能なことです。海外で医療保険なしに命にかかわる病気になったら、よほどのお金持ちでない限り死ぬしかありません。

日本は、「個々人に大した金はないけど、国全体としては『お金持ち』」なのです。地方で「お金持ち」でない人々が悠々自適の生活を送れるのは、そこに「蛇口をひねると水が出る」「道路が舗装されていて信号機が機能している」という状況があるからです。国全体が豊かさを追い求めるのを止め、日本のＧＤＰが減り続けたら、いつか日本は「穴だらけの道路の国」「井戸へ水を汲みに行く国」になってしまいます。

多くの日本人は未来を考えるに際して、「現状維持」を前提にします。しかし、経済が逆回転を始めたら「現状維持」は不可能になるのです。永遠に「蛇口から水が出る」と考えるべきではありません。世界ではそれは決して当たり前ではないのですから。

日本は大丈夫か？　この観点に立って未来への羅針盤を提示するのが本書の役割です。

羅針盤といえば、私は２０２１年の春から夏に、５カ月間かけて日本・アメリカ間をヨットで単独無寄港往復しました。このとき「羅針盤」に相当する役割を果たしてくれたのは、日本の古野電気が誇る高性能のＧＰＳ受信機でした。この製品自体は日本製ですが、機器が使用するＧＰＳ電波はアメリカが全世界に張り巡らしているものです。アメリカがＧＰＳ電波の民間提供を封じた瞬間に私の船は羅針盤を失い、同じくＧＰＳの電波を利用している日本中の自動車のカーナビが使用不能になります。

これは日本の安全保障上大きな問題です。一応日本独自のＧＰＳ補完衛星は運用が開始されていますが、日本列島をカバーするのが目的のシステムですから、太平洋横断には使えません。ミサイルや航空機の運用もＧＰＳ頼みです。

太平洋横断中、メイン機器として頼りにしていたのは古野電気の製品でしたが、実は日常の位置確認に iPhone を使っていました。日本の沿岸から数キロ離れると基地局の電波が届かなくなって、スマホは通信機器としての機能を失います。しかし iPhone に組み込まれているＧＰＳアンテナは海上でも使えます。そのため太平洋横断中の日常の位置確認は、iPhone に表示させた世界地図にプロットされる位置情報で行いました。

極論すると、現代の太平洋横断は iPhone 一つでできるのです。iPhone はご存じの通りアメリカ製です。

１９９０年代、私が担当していた番組にやって来た「大物コメンテーター」は、「今やアメリカ製品で買うべきものなど何もない。アメリカ経済はこのまま奈落の底に沈んでゆくだろう」と予言していました。しかしふと気が付けば私たちの身の回りには、グーグル、アマゾン、アップル、マイクロソフト等々アメリカの製品やサービスが溢れ返っています。なんでこんなことになったのか？　なぜ「大物コメンテーター」は間違ったのか？

本書を読んだ皆さんが、今日本で進行しているさまざまな問題に気づき、問題解決へ声を上げてくれることを切に希望します。極端にポピュリズムに走る昨今の日本の政治家を正しい行動に導くことは世論にしかできません。日本国民すべてが、インフラの整った田舎で悠々自適の毎日を送れる国力を取り戻しましょう。

この国の未来は皆さんの手の中にあるのです。

太平洋の波に揺られながら――辛坊 治郎

この国は歪んだニュースに溢れている◉目次

第1章　困った選挙と呆れた議員

第2章　官僚にうんざり

第3章　日本の劣化が日に日に酷くなっている

第4章　社会とメディアを考える

この書籍は「まぐまぐ!」（https://www.mag2.com）より配信中の「辛坊治郎メールマガジン」（2020年10月〜2022年10月）の内容を加筆修正したものです。
また、本書の情報は2022年11月25日時点の情報に基づいています。

カバー撮影／稲治 毅
ブックデザイン／橋元浩明（sowhat.Inc）

第1章

困った選挙と呆れた議員

左派メディアが知らない安倍晋三の姿

2022年7月8日、安倍晋三《あべしんぞう》・元首相が兇弾に倒れ、67歳の生涯を閉じました。マスコミ各社の報道が続く中、私も昔出演していた「そこまで言って委員会NP」のスタッフからインタビューの申し出を受けました。

「安倍さんの思い出を語ってほしい」

とのことでした。

正直とてもそんな気持ちになれなかったのですが、総理在任中、私が個人的に知っている安倍晋三像とかけ離れた誹謗中傷報道に悔しい思いをしてきました。「本人はもっと悔しい思いだっただろうな」と考えると、私が安倍さんについて語るのも供養かとインタビューを受けることにしました。

収録されたインタビューでは安倍さん以外の個人の名前はすべて伏せましたが、実名入りで書いておきます。

それにしても、事件当日の警備態勢は正直「あり得ない」ことだらけですが、これについて詳しく言及するのはやめます。ただ、そもそも演説の場所としてあの場所はあり得ないし、単なる「元首相」でない「与党最大派閥の現役リーダー」たる人物にふさわしい警備態勢でなかったことは間違いないでしょう。

かつてこんなことがあったんです。

２００９年秋、民主党政権が国民の熱狂の中で誕生し、自民党が野党になってすぐくらいのタイミングで、

「なぜ自民党は下野したのか？　自民党はこれからどうするのか？」

という特集を、当時私が担当していた「ウェークアップ！ぷらす」でやることになったのです。地方組織のインタビューや、自民党に厳しい街の声など、たくさんのＶＴＲを作り、後は土曜日の本番を待つばかりとなった金曜日の午後、突然、当日のメインゲストだった谷垣禎一《たにがきさだかず》総裁サイドからキャンセルの電話が入りました。

この企画、「民主党政権下の最大野党の党首たる谷垣総裁インタビュー」ありきの企画で、谷垣さんに生放送で私がさまざまな質問をぶつけ、その間に素材のＶＴＲを流す構成を予定していました。

谷垣自民党総裁の出演が企画の軸ですから、本人がスタジオに来ないと、企画自体が成立しません。デイリーでやっている番組なら、前日にメイン企画が飛んでもなんとかなりますが、ウイークリーの番組は制作スタッフの数も限られていますから、放送前日にメイン企画が没になるとどうにもなりません。

「谷垣総裁生出演」を前提に、1時間半の番組丸々「野党自民党」を放送する予定だったので、スタッフ一同真っ青になり、谷垣さんに代わり得る自民党重鎮に次々に出演依頼を行いました。

ところが当時、自民党には強烈な逆風が吹いていて、出演しても本人にプラスになることはほとんど想定できず、そもそも総裁がドタキャンするような企画に出てくれる幹部がいるはずもなくて途方に暮れていたところ、安倍さんが「私が出ましょう」と言ってくれたのです。

地獄に仏とはこのことです。

何せ安倍さんの出演が決まったのが放送前夜で、**失礼な話「谷垣さんの代役」ですからね。**

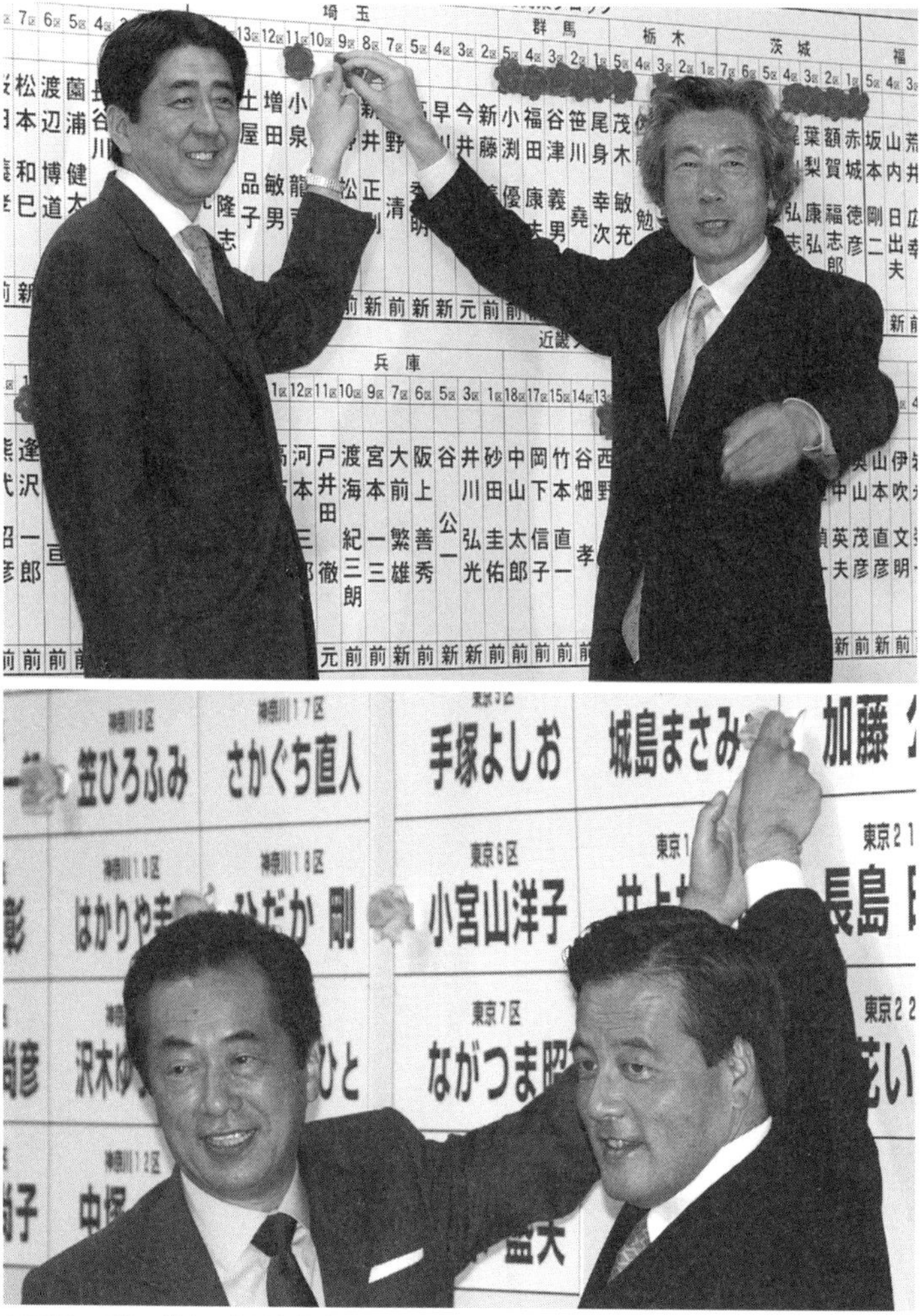

2003年、49歳の若さで自民党幹事長に抜擢された安倍氏。同年11月に投開票が行われた第43回衆議院議員選挙で当確候補者の名前プレートに小泉純一郎首相と花を付ける。写真下は民主党菅直人代表と岡田克也幹事長。（写真／時事　肩書きは当時のもの）

質問内容の事前提出が慣例となる中で

政治家のインタビューは面倒です。

2022年の参議院選挙でも、東京選挙区の生稲晃子《いくいなあきこ》候補が全局の出演を断ったことについて池上彰《いけがみあきら》さんの番組で批判され、ちょっとした騒動になりましたが、池上さんに質問されるリスクを冒したくない生稲陣営の気持ちはわかります。

でもねえ、**当選した以上、議員としての見解を明らかにするのが公人の義務でしょう。**税金で養われる公職に就くことの覚悟が問われていると思います。

多くの政治家がマスコミのインタビューを警戒するのは事実です。

そのため多くの日本の政治家は、マスコミのインタビューを受けるに際して、事前に質問項目の提出を求めてきます。日本では記者の倫理教育なんて行われていませんから、多くのメディアは政治家の求めに応じて、質問項目を事前に提出するのが慣例化しています。

アメリカなどでは、これは絶対のタブーです。ニューヨークにはアメリカの4大ネットワークの本社が集中していますが、ネットワーク本社併設の「グッズショップ」の中には、分厚い「倫理規定集」を販売しているところがあります。

私がニューヨーク滞在中に入手したABCテレビの倫理規定集には「政治家のインタビューに際して、事前に質問項目を提示してはいけない」と明記してありました。

これは少なくともアメリカのマスコミ倫理的には常識です。

ところが日本にはそんな倫理を教える場も学ぶ場もありませんから、どこの放送局でも平気でインタビュー前に政治家に質問項目を伝えますし、特に生放送の場合、それを順守することが出演の条件になるのが当然とされています。

私の場合、アメリカでメディア倫理を学んだことが影響しているのかもしれませんが、これらの日本的慣例について「くそくらえ」と考えてきました。

たぶん池上さんもそのタイプでしょう。だから、私の番組や池上さんの番組は政治家に警戒されるのです。かと言って、池上さんの番組だけ断るとミエミエですから、生稲さんのように「全部の番組を出演拒否」という暴挙に出るのです。

少し前ですが、私が担当しているラジオ番組に出演してくれた共産党の小《こ》池《いけ》晃《あきら》さ

んは、生放送の出演が終わった後、

「事前に聞いていた話と違う……」

とブツブツ呟《つぶや》きながらスタジオを出て行きました。

その周りでバツが悪そうに俯《うつむ》く秘書の姿が印象に残りました。


小池さんのケースは私の番組ではよくあることですが、そんな私でも驚いたのが、安倍さんが出演してくれた「ウェークアップ！ぷらす」に小沢一郎《おざわいちろう》さんが生出演してくれたときのことです。

スタジオ進行の私には詳細な質問項目のメモが渡され、

「絶対にこの項目以外質問してはいけない」

と局幹部から厳命が下りました。

また質問の答えに対して、

「再質問は絶対にするな」

という厳命も下りました。

この条件なら私がインタビューする必要はないわけで、当日休んでやろうかと思いましたが、「私が質問をする」ということ自体が小沢さんの出演条件と聞いていましたから、休むわけにもいきません。

当日スタジオの中には何人もの強面の秘書さんが並び、私が「事前通告外の質問」をしたら飛び掛かられるんじゃないかと思うほどの緊迫感が、スタジオに漂っていました。

これが小沢さんの意思だったのか、それとも周囲の過剰な配慮だったのか、もしかすると生放送の番組出演を嫌がる小沢さんをスタジオに連れてきた仲介者の意思だったのかわかりませんが、私のそれなりに長い経験の中でも、小沢一郎さんのインタビューは、かなり異質なものになってしまいました。

私は当日、メモに書いてあることを音に変えて相手にぶつけただけですから、あれをインタビューとは思っていません。

そんな経験をしていましたから、谷垣さんの代役としてスタジオにやって来た安倍さんには、「事前に番組の企画意図の説明をするのと、大まかな質問項目の提示をするぐらいはやむを得ないかなあ」という感覚だったんですが、当日スタジオに現れた安倍さんは、事前に一切質問項目を聞かないどころか、オンエア直前に顔合わせした

際、

「自由になんでも聞いてください」

と私に言ってくれました。

ガチガチに質問項目を絞ろうとする多くの日本の政治家に接してきた私には、これはとても新鮮でした。

これが安倍晋三という政治家の真の姿です。

これを知れば、巷間《こうかん》伝えられるイメージがいかに歪《ゆが》んでいるかわかるでしょう。

本当に惜しい人を失いました。

安倍元首相が果たせなかった「脱公明」

２０２１年10月末に投開票された第49回衆議院議員選挙、私は自民が２５０議席、立憲民主が１２０議席程度と予想していましたから、予想よりも自民が勝ち、立憲民主が惨敗した感じですね（編集部注／実際の獲得議席数は自民党２６１議席、立憲民主党96議席）。

でもね、大方のコメンテーターの見解と違って、**立憲民主党が将来本気で政権を目指そうとするなら、この結果は「立憲民主にとってよかった」**と思います。

結論を先に書くと、もし共産党のバックアップで立憲民主党が大勝していたら、立憲民主は未来永劫、共産党の支配下に入ってしまうことになりましたからね。

これは例えば、覚醒剤におぼれた中毒患者が、生涯薬物の支配下に入ってしまうのと同じ構図です。

さらに言うなら、公明党の支援なしに小選挙区を勝ち抜けなくなった自民党議員が公明党の支配下に入ってしまったのと同じです……って、これを書くのはタブーですかね。

テレビやラジオで発言するときにはもう少し丸い表現が必要です（笑）。

実は安倍晋三という政治家が一切表面に出さずに望んでいたのは、公明党抜きの政権運営なのです。

公明党と政権を組んでいる限り、憲法第9条を含む憲法改正なんてできるわけありません。安倍氏の思想からすれば、少なくとも戦力不保持を定めた憲法第9条第二項の削除は必要だと思っていたはずですが、公明党がこれを飲むはずもなく、最大限譲歩する形で自民党は自衛隊の明記を定めた第三項加憲案をまとめたものの、これも公明党と連立政権を組んでいる限り実現しないというのを安倍氏はよく理解していました。

2021年の選挙で、憲法第9条第二項削除に抵抗感のない維新が復調したことで、自民党は公明党抜きでの政権運営の可能性が生まれ、ひいては国会議員の3分の2の賛成を得て憲法改正の発議に道が開かれたように感じている人は多いでしょうが、話はそんなに簡単ではありません。

確かに自民党は単独で衆院の絶対安定多数を確保していますし、これに維新を加えれば、参議院でも過半数を確保できますから、公明党抜きで政権運営はなんとか可能かもしれません。

ただし、それはあくまでも「次の衆院選」までの話で、多くの自民党議員が数千票の差という薄氷の勝利を得ている現状で公明党と袂《たもと》を分かって次の選挙に臨むことはできません。多くの自民党議員にとって、小選挙区における数万票の公明党票というのはまさに命綱なんです。

公明党が本気で反対する政治案件を自民党が実現できないのはこういう構造ですから、いくら維新が自民党の政権運営に協力しても、公明党が嫌がる憲法第９条改正は不可能なんですね。

選挙地盤が安定している議員は、早くからこの状況を変えようと、隙あらば公明党と別れるタイミングを狙っていたわけですが、あれだけ選挙に強かった安倍政権でも、これには全く手が付けられませんでした。

選挙に弱い多くの自民党議員にとって、選挙における公明党の協力は当選の絶対条件になっていますからね。まさに麻薬です。

ちなみに公明党と共産党は昔から犬猿の仲です。表向きの理由は、共産主義の総本山であった旧ソ連のスターリンや中国の毛沢東が「宗教は悪魔、麻薬」と見なしていたことでわかるように、歴史的に共産主義と宗教は全く相容れない関係だからです。

公明党が宗教団体である創価学会を支持基盤にしているのは誰でも知っています。

よく似通った公明党と共産党

これに加えて、日本ではもう一つ重大なファクターがあります。それはこの両党の支持基盤がかなり似通っていることです。共に支持者の基本は「生活保護受給者に象徴される都市の貧困高齢層」です。

自公政権は新型コロナ流行に際して「国民全員に10万円ずつ配る」という政策を実現させました。この政策は明らかな愚策ですが、国民の多くに好意的に受け入れられたのも事実です。珍しくどの世論調査でも、この政策への世論の支持は過半数を超えています。

民主主義の弱点が典型的に表れた政策と言えます。

この政策の背景には公明党の存在があったのは確かです。

この状況について「公明党がいるから自公政権が社会福祉に目を向けるのだ」と見ることも可能ですが、「税金で生活を賄われている多くの国民によって宗教団体が維持されている」という見方も成り立ちます。

同じ構造は共産党にも言えます。大阪は全国の他の地域に比べて圧倒的に共産党、公明党が強いのは有名ですが、大阪が全国で突出して生活保護率の高い地域であるのも常識です。大阪の西成区に至っては市民の４人に１人が生活保護で暮らしています。かつて大阪市長に共産党系の人物が選ばれたことがありますが、なぜ大阪でこれほど共産党と公明党が強いのか？

ここには「お金」を通じた構造があるのです。

大阪の小選挙区で、共産、公明はそれぞれ数万票の基礎票を持っています。

２０２１年の選挙で佐賀1区の原口一博《はらぐちかずひろ》氏はわずか１３３票差で勝利を収めました。小選挙区において数万票という票は当落に直結します。この選挙で自民党は、公明党が候補者を擁立している小選挙区以外ですべて、公明党の協力を取り付けました。自公政権誕生後、多くの自民党議員はこの枠組み中で当選してきましたから、安倍氏のように「公明抜きでも楽々当選できる」というごく少数の議員以外は、自公連立政権の枠組みを崩すような政治活動はできないのです。

元々創価学会嫌いの安倍氏にとって、自分が政権を担当している間に「脱公明」が実現できなかったのは痛恨事でしょう。むしろ安倍氏は政権安定のために公明党を最大限利用しました。公明党の幹部は安倍氏が創価学会嫌いであることは認識していたはずですが、こちらも組織防衛のために、一切感情を外に出すことはありませんでした。

「大人の世界」ですね。

２０２１年の選挙に際して、大阪の維新は候補者を擁立したすべての選挙区で、創価学会員に支えられた自公の枠組みの上に乗る自民党候補と対決したわけですが、その状況下で勝ち抜いたのは凄いことです。

いわゆる「都構想」の住民投票実現に協力してくれた公明党との約束を守って、公明党が候補者を擁立した大阪の４つの選挙区で維新は候補者を立てませんでしたが、もし立てていたら維新は議席を４つ上乗せしていたでしょう。

次の衆院選では、この大阪の４つの小選挙区に維新が候補を立てるかどうかが焦点になります。この４つの選挙区に維新が候補者を立てたら、公明党はほかのすべての選挙区でも維新に対して本気で強力な「落選運動」を仕掛けてきますから、そのリスクを冒して公明と全面対決するのか？

これは結構見ものです。

でも維新も今のように大阪だけを地盤にしているようでは、日本の政治を変える勢力にはなれません。

どうしたらいいのか？

私なりの案はありますが、これはまた別の機会に。

話を元に戻しましょう。長い目で見たときに今回の選挙結果が立憲民主党にとってよかったと思うのは、「自民党にとっての公明党」と同じ構図が「立憲民主党にとっての共産党」に持ち込まれなかった点です。

もし共産党の支援を受けた立憲民主の候補者が小選挙区で多数勝ち抜いていたら、立憲民主にとって共産党は麻薬になります。多くの薬物依存者が人格を喪失して麻薬の支配下に入ってしまうように、立憲民主党全体が共産党の支配下に入ってしまうのは自明のことです。共産党幹部は間違いなく、この構造を認識しています。

各小選挙区に存在する千～万単位の共産党員は、中央の指令一つで完全に一致した投票行動に出ますからね。投票率の低い日本の選挙で、この力はとても大きいのです。**立憲民主を率いた枝野幸男《えだのゆきお》氏の罪は選挙に負けたことでなく、組織全体を共産党に売り渡すリスクを冒してしまったことです。**

このときの選挙では立憲民主の中でも左派色が強く共産党との親和性が高い辻元清美《つじもときよみ》・参議院議員らが落選しましたが、それでも多くの小選挙区で共産党組織の票でかなりの立憲候補者が当選を果たしました。

共産党と組んだことで立憲は比例で票を失いましたが、小選挙区で立憲は議席を増やしています。今回の選挙において小選挙区で僅差で当選した立憲議員は、次の選挙でも当然共産党組織の応援を頼るでしょう。

日本の政治は今後どこへ向かうのか？

「公明党の支援なしに戦える自民党議員が、自公政権と袂を分かって維新と合流する」なんてことにならない限り、日本の政治構造が大きく変わる可能性はないですね。

大阪維新の会を振り返る

「天下分け目」の大阪市長選が2023年春に行われます。私はこの選挙、「維新」という政治勢力にとっての天下分け目ではなく、日本の将来にとっても天下分け目になるだろうと考えています。

私が維新関係者と初めて会ったのは、「日本維新の会」の源流である「大阪維新の会」が誕生した2010年から遡ること7年、2003年の秋でした。当時、翌2004年初めに大阪府知事選挙の日程が迫っていて、自民党の大阪府議会議員だった浅田《あさだ》均《ひとし》氏が突然アポなしで、局に訪ねて来たんです。

当時私と浅田氏は一面識もありませんでした。

局の警備室から電話をもらった私は、**「暇だから、話でも聞くか」というつもりで浅田氏と会った瞬間に「断ればよかった」と思いました。**セキュリティの厳しい玄関脇の小さな会議室で、テレビ局の警備員に囲まれるようにして立っていた浅田氏は、どう見ても「アブナイおっさん」で、髪の毛はもじゃもじゃ、視点の定まらない目で、呂律《ろれつ》も怪しい感じでした。

このおっさんに、「どんなご用件ですか？」と尋ねると、「**単刀直入に言います。来年の大阪府知事選、出てください**。今の太田房江《おおたふさえ》にもう1期大阪府知事をさせると、大阪はとんでもないことになります。自民党の中央も大阪の自民党府議の大勢も太田の2期目支持です。ですが我々自民党大阪府議の有志は、どうしても、違う知事で大阪の未来を作りたいのです。

実はいろんな人に声をかけたんですが、みんなに断られて万策尽きました。こうなったら、**テレビに出ていて知名度があって、当選可能性があるなら誰でもいいだろう**ということになって、辛坊さんを訪ねて来ました。大阪府知事選に出てください」

当然追い返したわけですが、一体浅田均とはどんな奴かと思って調べて驚きました。京大の哲学科を出てアメリカのスタンフォード大学大学院に留学し、NHKを経てOECDパリ事務所勤務の経験もある、地方議員には珍しいインテリだったのです。英語とフランス語が堪能で、後に「実はラテン語もできる」と聞きました。

ラテン語が本当にできるのか、これは嘘か本当か確かめようがないです。どうやら浅田氏の父親が自民党の大阪府議で、父親の死に伴って父親の支持者に大阪に呼び戻されて府議になったようです。

この選挙では結局、太田房江氏が2期目を迎えることになったのですが、ここからいろんな意味で大阪政界は急変していきます。太田房江2期目当選の3年後、大阪市長に元毎日放送アナウンサーの平松邦夫《ひらまつくにお》氏が当選したのです。

破綻寸前の大阪市を前に

実は大阪市というのは、1960年代以降5代続けて大阪市の助役出身の市長が居座っていて、この人選に大阪市の左派系の組合が大きな影響力を持っていました。長年大阪「市」は、国の直轄領としての大阪「府」に対抗する形で、自主独立の大阪市政を維持していたのです。

自主独立と言うと聞こえがいいですが、実は組合管理の「**大阪市職員のための、大阪市職員による、大阪市職員の大阪市**」だったわけです。

当時大阪市職員には、「Osaka City」と刺繍されてはいるものの、胸ポケットの外ぶたをしまい込むだけで素性を明らかにせず着られるスーツが支給されたり、市庁舎内に運動器具が置かれていたりと、職員厚遇がたびたび問題視された上に、全国で支給を断られた生活保護申請者を一手に引き受けるなどした結果、「(財政破綻した)夕張市の次は大阪市」という酷い状態になっていたんです。

実はさすがに「この状態はマズイ」と考えた当時の關淳一《せきじゅんいち》市長は組合との決別を打ち出し、大阪市の財政再建に手を付けようとしたんですが、その選挙で關氏と袂を分かった大阪市の職員組合に担ぎ出されたのが平松氏だったのです。

それにしても、当時の大阪市はいろんな意味でメチャメチャでした。

皆さんは東京23区と大阪24区は同じように「区」だと思っているかもしれませんが、全く違います。東京の「区」は議会があり区長も公選で選ばれる一つの基礎自治体です。ところが大阪の「区」は単なる行政上の地域区分に過ぎません。

4人に1人が生活保護で暮らす大阪の西成区などは、それが基礎自治体ならとっくに破綻していますし、たぶんその状況がこれだけ長年放置されることはなかったでしょう。ところが、西成区は単に大阪市という基礎自治体の行政上の地域区分に過ぎませんから、歴代区長は大阪市の職員がキャリアパスの一段階として担当してきました。

つまり「任期中の数年間、何事もなく務める」ことで、中之島の大阪市庁舎の中で役人としての出世階段を上ることができたわけです。
そりゃ、本気で改革なんかしませんよね。

こうして大阪市の出世階段を上がっていくと、最高位に位置するのが「港湾局長」というポジションです。大阪市の歴代港湾局長は、京都大学の土木工学科出身者が多いです。

大阪市の港湾局長はかつて「市長より権限が強い」と言われていました。なぜそんな権限があるのかと言うと、大阪市の大規模公共事業を一手に引き受けるのが港湾局長のポジションだったからです。港湾局長にしろ、助役にしろ、それどころか**選挙で選ばれる市長でさえ、「大阪市の職員組合のお墨付きが必要」というのは大阪市の常識**でした。ちなみに反維新で鳴らす、ヒゲがトレードマークの某テレビコメンテーターは、京大土木工学科出身です。

2001年に大阪市と民間の「三セク」でスタートしたユニバーサル・スタジオ・ジャパン（USJ）の初代社長は、元大阪市港湾局長でした。ところがUSJはあっという間に倒産状態になって、外資のゴールドマン・サックスに乗っ取られてしまいます。この外資にヘッドハンティングされてUSJを立て直したのが、現在マーケティング会社「刀」の代表を務める森岡毅《もりおかつよし》さんです。

現在USJの経営権は、ゴールドマン・サックスから破格の安値でUSJを買ったアメリカのメディア会社が持っています。この買収当時、日本のマスコミは「USJには多額の負債があったので安値で売却された」と報じました。

この報道は日本の記者連中がいかに経済を知らないかをよく表しています。

アメリカでは企業買収の際、買収先の企業にわざと借金を背負わせて企業価値を下げ、安値で買収するという手法が頻繁にとられます。

実はこのときUSJが背負っていた1000億円単位の借金というのは、ゴールドマン・サックスの経営陣に「成功報酬」を払うためにわざと行われた借金だったのです。

USJについてはすべて合法に行われたようですが、アメリカなどでは、こうして作った金をタックスヘイブンに移して脱税するなんてことが、ときどき行われます。もちろん違法ですから、たまに恐ろしいアメリカの税務当局に摘発されたりします。

アメリカでは脱税で捕まると、下手をすると生涯刑務所から出られません。アメリカで経済事犯の罪は重いのです。

なぜ大阪市民の血税で作られたＵＳＪが外資の儲けのネタになったのか？

これが当時の大阪市の惨状を端的に表しています。

さて、ＵＳＪがオープンした2年後、２００３年の暮れから私と「維新」関係者との付き合いが始まります。その中には、松井一郎《まついいちろう》氏という「田舎のおっさん」もいました。

これは橋下徹《はしもととおる》氏が大阪府知事になるはるか前の話です。「維新」という名前がこのグループに正式に付けられるのは２０１０年のことです。

橋下徹の発掘

２００4年の太田房江氏再選の際に、独自候補を知事にできなかった浅田均さんや松井一郎さんらの自民党大阪府議有志は、２００8年の知事選で再起を図ります。

このときにメンバーが発掘したのが橋下徹氏でした。

橋下徹大阪府知事と、「守旧派」の組合に担がれて大阪市長になった平松邦夫氏が上手くいくはずもなく、大阪の「府市《ふし》あわせ」を解消するには、大阪市長を「改革派」で制圧しなくちゃいけないと、橋下氏が、平松体制を倒すために大阪市長選に鞍替え立候補することになります。このプランを私は橋下知事誕生直後から浅田氏らから聞かされていました。

当時、関西のマスコミ的には、有名漫才師の「酒井くにお・とおる」になぞらえて「(平松)くにお・(橋下)とおる」の大阪府市蜜月時代とされていました。**いかに関西マスコミが情報を摑んでいなかったかよくわかります**。

2008年の知事選に橋下氏が立候補表明する直前、読売テレビのメイク室で「辛坊さん、知事選に立候補したいんですが、収録済みのテレビ番組が10本もあります。立候補した場合の損害賠償はどのくらいになりますか?」

と橋下氏に聞かれて、私が、

「それなら心配することはありません。公職の立候補を理由に番組の放送ができなくなったケースで、局が賠償を請求したことはありません」

とお答えしました。

この会話の直前に橋下氏は、テレビカメラを前に、
「知事選への立候補は2万パーセントない」
と語っています。このタイミングで、橋下氏と番組を共にしていた、やしきたかじんさんと島田紳助《しまだしんすけ》さんが、無報酬で番組の撮り直しなどに応じて橋下氏の背中を押したのは有名な話でしょう。

橋下氏が大阪府知事から大阪市長に鞍替え立候補するに際して、維新は大阪府知事選に誰かを立てる必要が生じ、紆余曲折あった中で最終的に松井一郎氏が立候補することになりました。

紆余曲折の中には私の名前もありました。

ある日、やしきたかじんさんが暮らしていたマンションに呼ばれて、たかじんさん、橋下氏、私の3人で鍋を囲んだのはいい思い出です。鍋の用意は大阪北新地の料亭の板前さんが出張で行い、席にはたかじんさんの馴染みのホステスさんが数人いました。

このあたり、生前のたかじんさんの生き方がよく出ています。**もし主催が私なら、自分で鍋の具材を用意するでしょうね。もちろんホステスなしです。**

この騒動の前に、大阪の自民党府議団は大阪府庁移転問題で真っ二つに割れ、

２００４年の知事選で中央の自民党本部の決定に異を唱えたグループが、府庁舎移転を掲げて分離独立します。

この人たちが橋下府知事、橋下市長・松井知事の与党になって一つの集団を作り、その名前が「維新」になったのです。

大阪の維新は、元々大阪の自民党が二つに割れて誕生した政治勢力ですから、**「自民に残った」あるいは「維新に入れてもらえなかった」自民党地方議員の怨嗟《えんさ》はすさまじく、**「維新を潰すためなら共産党とでも組む」体質になってしまいます。

この混乱と恨みは今でも解消されていません。生前の安倍さんが、大阪の自民党議員に愛想をつかして「維新」に接近したのは誰でも知っている話です。

こうして誕生した「維新」のその後は概ねマスコミが伝える通りです。

２００３年に浅田氏が突然私を訪ねて来て始まった「維新」メンバーとの交流ですが、誰と会っていても話題は常に「大阪をどうする」「日本をどうする」という一点でした。

正直、こんなにまじめに大阪と日本の未来を考えて生きている人たちをほかに知りません。しかし、彼らが目指した大阪府と大阪市を一つの自治体にして未来永劫「府市あわせ」を防ぐ試みは、二度にわたって頓挫してしまいました。

２０２３年の大阪市長任期満了で引退を決めた**松井一郎氏は、「政治家」という仕事が心の底から嫌になったのだと思います。**

知事や市長などの首長は、どれだけ一生懸命やっても、反対勢力から個人賠償の裁判を起こされるリスクを常に抱えています。松井氏は口には決して出しませんが、「こんなに一生懸命やってるのに、なんで公用車の中で煙草を吸っただけで糾弾されなくちゃいけないんだ」と思っているでしょう。

いまだに彼の心中を知らない心根の貧しい人たちは、「松井一郎は院政を狙っている」なんて書きますからね。

ホント、自分のことじゃなくても腹が立ちます。

公示日と年金支給日

２０２２年に行われた参議院議員選挙の公示日は、年金支給日の偶数月15日を過ぎた６月22日でした。与党が選挙前に一番恐れていたのがこの支給日ですが、与党にとっては幸いなことに、年金受給者はあんまり騒いでいなかったようですね。

野党系の活動家の弁護士に率いられた左派老人が「年金減額は生存権を保障した憲法に違反する」などと裁判を起こし、それを一部メディアが火をつけ、ワイドショーが後追いして騒ぐことで、選挙前に「年金騒動の悪夢」が蘇《よみがえ》ることを与党は極端に恐れていたんですが、そんな動きにはなりませんでした。

私は、年金減額で高齢者が騒ぐことは不当だと考えていますから、野党系の弁護士に頑張れと言う気は毛頭ありませんが、**こんな絶好の攻め口を放棄するなんて、今の野党がいかにアホかわかります**。

春先にこの衝撃を予想していた自民党幹事長は、「年金生活者に６月に５０００円配る」と発言して世論とメディアの総スカンを食らい、発言を撤回してしまいましたが、この5000円は年金減額分の補塡が目的です。

このプラン、撤回して与党的に大正解だったと思います。金を配ることで、逆に、年金が減ることを強烈に高齢有権者に印象付けてしまいますからね。**こんな発想をする与党もかなりアホです**。

今の政治家は与野党問わず、「有権者は物乞い」と思っているから、こんな政策を思いつくんですね。困ったもんです。

思い出してください。2009年の民主党政権誕生は、年金制度改革に端を発しています。2004年の年金制度大改革、別名「100年安心プラン」の直後に噴出した「消えた年金騒動」などが、与党を地べたに引きずり落としました。

実はこの制度改革の際に、政府の御用学者などは「100年安心」というスローガンをばらまいたんですが、その結果今何が起きているのか？　2022年度の年金減額幅0・4％は、年金大改革以降最大の下落幅ですが、これは単なる予兆に過ぎません。**今後「見かけ上の金額は増えるけど、実質的な年金額が大幅に引き下げられる」という時代に入ります**。

年金大改正から約20年、政治家の怠慢で悪化のスピードを増してしまった年金財政で「時限爆弾」が炸裂することになるのです。0・4%引き下げは、その「前震」なのです。

そもそも、2004年の制度設計では今回の年金額面引き下げは想定されていませんでした。このときの制度設計は、賃金と物価が毎年一定割合で増えることを前提にしていて、毎年の物価上昇に合わせた年金額改定の際に、物価上昇率より「零コンマ数パーセント」年金上昇率を抑えることを長年続けることで、実質的な年金額を大幅に引き下げる計画だったんです。

この手法なら、年金額は見かけ上毎年上昇しますから、高齢者の不満が出にくいと考えたんですね。

「100年安心プラン」の破綻

ところがその後日本の物価も賃金も上昇しませんでしたから、年金額だけ下げるわけにいかず、年金の支給水準は放置されてきたんです。むしろこの間賃金が下落しましたから、その分実質的な年金額は増えたことになります。

さすがに「これはまずい」と気がついた数年前に、「物価が上昇しても賃金が下落したら、年金支給額は賃金下落に合わせて引き下げる」と決められました。

この一事をもってしても2004年の年金大改革が「100年安心」でなかったことがわかります。こうして2022年度の年金額は、前年度の0・1％減額に続いて0・4％引き下げられることになったのです。

しかし問題は2023年度以降です。来年度の年金支給額は、2022年の物価と賃金上昇率が反映されます。今、円の価値自体が下落していますから、セオリー通りなら物価と賃金は必ず上昇します。物価と賃金が安定的に上昇を始めたら、2004年の年金制度改正通り、年金額の実質的な引き下げが本格的に始まります。これがいわゆる「マクロ経済スライド」です。

この制度が適用されると、物価と賃金の上昇に合わせて年金額は名目上増額されますが、実際の物価、賃金上昇率より毎年必ず低い伸びにしかなりませんから、それが5年、10年と積もり積もることで、気が付いたら、「現役世代の平均賃金の3分の1しか年金がない」という事態になります。

一応法律的には、将来の年金額が現役世代の平均賃金の半分以下になることが判明した場合、制度全体を抜本的に見直す決まりになっていますが、近年の厚労省の姿勢を見ると、数字をごまかしながら、問題を先送りする方針のようです。

現在は現役世代の平均賃金の6割くらいが年金で支払われていますが、数十年後の高齢者は、実質的に今の高齢者が受け取っている年金の半分以下の年金額になるということなのです。

これは、物価と賃金が上昇する時代を見据えて、2004年に仕掛けられた「時限爆弾」によるものです。2022年度の0・4％の年金減額は、そんな時代の始まりを告げる予兆に過ぎません。

物価と賃金が安定して上昇する時代、それはまさに、年金が実質的に大幅に減額される時代を意味します。過去20年間は、物価と賃金が上がらなかったために、日本の年金額は下がらず、そのしわ寄せが未来の高齢者に積み重なる時代だったと言えるのです。

それでもお金のない高齢者は幸せかもしれません。預貯金がない高齢者は「預貯金が目減りする」ことはありませんからね。ところが長年頑張って「老後のために」と貯金してきた高齢者は気の毒です。

賃金と物価が安定的に上昇するような時代には、通常金利も上がります。ですから、高額の預貯金のある高齢者は、賃金収入がなくても、年金が目減りしても、利息収入だけは確保できたのです。

ところが今、日銀は金利を抑えようと必死に外資と戦っています。将来日本の金利が上がった（つまり国債価格が下がった）ときに買って差額を儲けようと、外資は日本国債の空売りを仕掛けています。

株も国債も、安く買って高く売れば差額分儲かります。

日本の金利を上げるわけにいかない日銀は必死に国債を買い支えています。買い支えきれなくて国債価格が下がり始めたら、空売りしていた外資は国債を買い戻します。空売りとは、簡単に言うと「自分が持っていない株や国債を誰かから借りてきて売る」という手法です。

もちろん将来買い戻した株や国債は清算時に返さなくてはいけませんが、返すときに買った値段が、借りて売ったときの値段より安ければその差額だけ儲かります。

これが株、債券、為替等の信用取引です。

一般の人には馴染みがない取引ですが、プロの間では当たり前に行われています。

大切なのは「安く買って高く売る」ということだけで、我々の感覚だと、買うのが先で売るのが後ですが、プロの取引では先に売って後で買うことができるのです。

今、日本国債はこうして世界の投資家の売りを浴びています。国債を買い支える日銀と、国債を売り浴びせる外資の戦いが繰り広げられているのです。

この戦いに日銀が勝てば、外資はどこかで「損切り」して取引を手じまいします。**この場合日本の金利は上がりませんから、円安傾向が続くでしょう。物価も上がります。**しかし預貯金に金利が付かず、高齢者が必死に貯めた預貯金は、物価上昇分だけどんどん目減りしていきます。

逆に日銀が負けたら、日本の金利は上がり始めます。この場合、**大量に国債を買い込んだ日銀は大損し、日本政府の利払いが膨らみ、民間も借金が返せなくなって、日本経済は大混乱します。**

ん〜、どっちに転んでもあんまりいいシナリオは思いつきませんねえ。

「こんな日本に誰がした？」

というのが、本来、選挙のテーマであるべきなんですけどねえ。

カジノ設立と選挙戦略

カジノ設立のための区域整備計画を、自治体から国へ申請する期限が2022年4月28日に到来しました。一時期誘致合戦が話題になった日本のカジノですが、現在は大阪、長崎の2府県に絞られています。

私、元々日本国内のカジノ設立には否定的でした。

それどころか、警察官ＯＢなどを巻き込んだ日本型利権構造の典型であるパチンコ業界全般についても相当否定的です。

とはいえ、20代の頃は、会社帰りに大阪天神橋筋の「大金《ダイキン》ホール」や京阪電鉄樟葉《くずは》駅すぐのパチンコ屋に寄って帰宅するのが習慣でした。「羽根もの」と呼ばれる台が人気の時代でした。

私の場合、勝ちに行くというより、逆に負けることで翌日の運をチャージするような感覚で毎日通っていたような気がします。そのくらい負け続けていました。同期の友人と一緒に行くことが多かったんですが、多少私が勝っていても、彼が打ち終わるまで待っている間に全部負けるというのがお決まりのパターンで、「俺はギャンブルに向いてない」としっかり認識できました。

その後、ギャンブル性の高まった「フィーバー」の時代になって、パチンコをすることがほとんどなくなり、**ある日池袋のパチンコ屋の前で拾った100円玉を使ってしまおうと**、目の前のパチンコ屋の台に投入したら、いきなりオールセブンが出て玉の出が止まらなくなり、待ち合わせに遅れそうになって焦ったのが、パチンコをやった最後の機会だったような気がします。トータルでは確実に負けてます。

パチンコは、還元率約45％の宝くじや、還元率7割台の競馬・競輪などの公営ギャンブルに比べて、還元率約8割と客に有利なギャンブルなんですが、それでも永遠にやり続けると、確率論的には必ず負けます。

必ず勝つ方法があれば話は別ですけど、私はそんな方法を知りません。「これだけ街中いたるところにパチンコ屋というギャンブル場がある国に、わざわざ下品なカジノを作る必要はない」という気持ちを持っていました。

でもねえ、長年日本の役所のさまざまな規制で日本の発展が遅れている現状を見続ける中で、「世界中どこの国でも全くカジノがないなんてところはない。カジノを完全に禁じている日本の構造こそが、日本の発展を阻害する要因なのではないか」と考えるようになり、**「カジノを解禁すべし」という論者になりました。**

さらにカジノを巡る国会の議論を聞いていて、「ギャンブル依存症が問題」なんていう偽善の議論に辟易《へきえき》したことも理由です。

警察などの利権の温床になっているパチンコは、国会答弁では「単なるレジャー」で、ギャンブルではありません。日本で問題になっている「ギャンブル依存症」の実態は「パチンコ依存症」なのに、それを全く問題にせずに「カジノ導入に際して依存症対策が必要」なんて議論はふざけています。

日本の警察・検察官僚や政治家、それを支えるマスコミってホント問題です。

私が総理大臣になったら必ずこの構造を一掃するんですが、**ま、そんなことしたら確実に消されますね。**この文章だってかなりアブナイです。

代替案としての「カジノ反対」

さてそんな日本におけるカジノの現状ですが、ようやく本格的に動き始めました。

２０１６年に国内でカジノ設立を可能にする法律（特定複合観光施設区域の整備の推進に関する法律／通称ＩＲ推進法）が出来、それから６年。２０２２年４月28日を期限に、カジノ運営業者の選定を終わった自治体が国に計画を出すところまで事態が進みました。

この間、カジノ誘致に名乗りを上げていた横浜で２０２１年に反対派の首長が選ばれて脱落し、同様に北海道などの誘致も止まり、東京や愛知の複数の自治体は政治的思惑もあって実質的に誘致活動を止めてしまい、残ったのは大阪、長崎、和歌山の３府県だけになりました。

この中の和歌山が２０２２年４月、計画案が議会で否決されて脱落。法律で最初に開業が認められるのは３カ所までと決まっていますが、応募するのは２カ所だけになり、この２カ所、大阪と長崎に対して２０２３年春くらいまでをめどに国からＧＯサインが出そうです。

それでも実際の開業は、今後すべてが順調に進んだとしても２０２７年前後です。

そんな状況の中、２０２２年７月の参議院選挙では、政党の下部組織による「カジノ反対」の動きが活発になっていました。

私の住んでいる駅前でも、選挙が近づくと**「憲法9条を守れ」とか「戦争反対」などの旗を掲げた「お馴染みの」メンバーが集結するんですが**、この時期駅前を通ったら、同じメンバーが「カジノ反対」の旗を掲げて声を上げていました。ロシアのウクライナ侵攻を受けて「護憲」を口にするのが政治的に得でないと判断したようです。

大阪でこの皆さんが「カジノ反対」をこのタイミングで唱える理由は明快です。世論調査では市民のカジノアレルギーはかなり強く、**地方議会でカジノ誘致に賛成している維新・公明に効果的にダメージを与えられる命題が「カジノ反対」**というわけです。

でもねえ、私つくづく思います。今こそこの皆さんは「戦争反対」の旗を掲げて、「護憲」が戦争抑止にどう有効なのかを説《と》き、具体的にロシアに殺戮《さつりく》をやめさせる方法を提案すべきでしょう。それができないために、代替案として「カジノ反対」を唱えるのは、本当に情けないです。

私だけが信じる特別な宗教

1980年代、90年代のVHSテープを、大阪と京都の府境にほど近い「山の家」で大量に発掘し、東京の住処でデジタルアーカイブ化している話はラジオなどで何度もしていますが、このほど1995年に放送された「報道特捜プロジェクト」という番組の2時間特番をデジタル保存することに成功しました。

当時、特に1980年代においてビデオテープはそれなりに貴重品で、大量に見つけたVHSテープは、そのほとんどを「3倍速」で録画しています。

VHSデッキとの相性もあるんでしょう。80年代に録画されたものは、再生しながら早送りにすると音声も映像も録画できていることが確認できるものの、いざアーカイブ化しようと再生ボタンだけを押すと画像が表示されなくなってしまいます。ヘッドクリーナーテープなども試しましたが、上手くいきません。

これらのビデオは今のところデジタル化を諦めて、再び段ボールの箱の底に沈めてしまっています。

ところが同じ80年代でも、テープをケチらず標準（1倍速）で録画しているビデオは、ときどきノイズが走りますがなんとか再生できます。

80年代の「ズームイン‼朝！」に登場する懐かしい「ウイッキーさん」や、はつらつとした30代の徳光和夫《とくみつかずお》さんが画面に表示されると嬉しいもんですね。「ズームイン‼朝！」の完全復活は無理ですが、やはり当時私が出演していた「おもしろサンデー」は、どうやら全オンエアのテープがアーカイブ化できそうです。

90年代に入ると、ビデオデッキの性能が上がったこともあると思いますが、3倍速で録画されたものでも、ほぼ再生できます。今回デジタル化した「報道特捜プロジェクト」は1倍速で録画されていましたから、かなり綺麗に仕上がりました。

なぜこのビデオが贅沢にテープを使う1倍速で録画されていたのか？

それは当時「この番組は保存する価値がある」と私が判断したからだと思います。

「報道特捜プロジェクト」という番組は、１９９３年から日本テレビの報道部が、「ニュースステーション」などで人気だった大学教授の福岡政行《ふくおかまさゆき》さんを司会に、月イチの枠で放送を始めた番組です。１９９５年の阪神・淡路大震災のときに私が大阪発の特番の進行を担当したことなどが縁で、福岡さんの指名で1995年春から私が司会を担当することになりました。私と日本テレビアナウンサーの鷹西美佳《たかにしみか》さんが司会で、レギュラーコメンテーターが福岡政行さんという布陣の番組でした。

通常は月に1回、土曜日に1時間半の枠で放送されていましたが、今回アーカイブ化したのは土曜の午後に放送された2時間スペシャルで、オウム真理教の特集でした。放送されたのは1995年7月15日で、生放送中に麻原彰晃《あさはらしょうこう》容疑者が松本サリン事件で再逮捕されています。番組の大半はオウム真理教の「科学技術庁長官」でサリンの製造責任者だった村井秀夫《むらいひでお》氏刺殺事件の真相追求と、教祖が殺人罪で逮捕されても教団に残る信者へのインタビューです。

この信者のインタビューは、日本テレビの荻原弘子《おぎわらひろこ》アナウンサーが担当していますが、荻原さんが全国のオウム真理教の教団事務所に乗り込んで、若者とやりあうシーンは圧巻です。

このインタビューを聞いていて**昨今の旧統一教会問題について改めて考えさせられました。**荻原さんが北海道でインタビューしたある若者は、教祖が殺人を指示したことを聞かれて、

「人を裁けるのは閻魔大王だけだが、教祖は閻魔大王を超える存在だ。だから尊師が人をポアする（殺す）のは正当な行為だ。教祖はその人たちの魂の救済を行っているのだ」

と堂々と答えています。

麻原に対する狂信を除くと、それ以外の会話は普通に成立していますから、別に頭がおかしいわけでもなさそうです。まあ「頭がおかしい」の定義は難しいですけど、一応ここでは「一般の会話が成立しない」的な意味にしておきます。

追及側が安全な旧統一教会批判

なんで、ここでこんなことを書くのかと言うと、今、マスコミが火をつけて、ポピュリズム政権である岸田政権の下で宗教法人格を問う騒動に発展している統一教会問題を見て、強烈なデジャブー感を持つからです。

私は前々から「自分は無宗教だ」と思ってきましたが、**最近では「私しか信者のいない特別な宗教の信者だ」**と考えるようになりました。

その意味では、多くの日本人は「無宗教という宗教」を信じているわけで、そうだとすると人間という生き物は宗教なしには生きられないのかもしれません。

アメリカ大統領が就任時に聖書に手を置いて宣誓することでわかりますが、アメリカという国はユダヤ教、キリスト教と切っても切れない関係にあります。旧約聖書はユダヤ教とキリスト教の共通の経典で、新約聖書はキリスト誕生以降のキリストの言行を記したキリスト教の聖典です。

日本で合理性の権化のように思われているドイツですが、ドイツで暮らす際に地元の教会の信者団体に入るのは当たり前です。日本の町内会費同様、地元の教会にお布施を求められます。

欧米の国民は圧倒的多数がキリスト教徒です。フランスには「反カルト法」がありますが、これは「キリスト教が正統派の宗教」という概念があって初めて成立する法律です。

中東のイスラム教国で宗教がどんな意味を持っているかは、改めて語る必要もないでしょう。温度差はありますけどね。

こう考えていくと、統一教会だけを「特別な悪」と考える昨今のネット、マスコミの報道は異常です。

国会の野党の追及も同じく異常です。

宗教2世の苦しみや、高額の寄付などの問題は統一教会だけのものではありません。数多《あまた》ある新興宗教が、教団発展のために信者に過度な負担を求めた例は枚挙にいとまがありません。

現在自民党と連立政権を組んでいる公明党が、創価学会という宗教団体を母体としている政党なのはみんな知っています。日本の貧困層の中には、信仰する教団に生活保護費から多額の金を寄付している人が大勢います。

これらはすべて合法ではありますが、生活保護の受給要件を決められる政権与党の背後にある教団が税金から寄付を受けていることについて、私には強烈な違和感があります。

しかし野党もマスコミも、「安全」な旧統一教会批判に時間を使っても、より本質的な「政治と宗教」との関わりや、「お布施による税金の還流」などの問題には絶対に言及しません。

私が「野党、マスコミ、そして岸田政権の旧統一教会追及はご都合主義、ポピュリズムの最たるもの」と断じるのはこのためです。

私は国家や行政が、宗教に立ち入らないのが原則だと考えています。

アメリカのように建国の経緯にキリスト教が存在した国ならともかく、また、現在の日本が神道という国家成立の経緯と現在の行政機能が密接に結びついているというのならば別ですが、第二次大戦後の日本は宗教と切り離されたところに国家運営の基礎があるわけですから、国家は宗教団体の設立に一切関与せず、宗教団体設立を単なる届け出制にして、その代わり、他の法人同様、活動に対して税金を徴収すべきだと思うのです。

国家が宗教団体を管理しようとするのは僭越《せんえつ》です。

国家にそんな力を与えてはいけません。

国家が宗教団体の設立・維持にかかわらず、宗教団体や構成員が、国家が定める不法な行為を行わない限り布教活動は自由でいいのです。

「信じるも自由、財産を差し出すのも自由、ただし、刑法典などに触れる不法行為は刑罰で処断する」

これしかありません。

教祖が殺人罪で逮捕されて教祖が殺人に関わったことを認識しても「教祖が人を殺すのは救済の一環だ」と信じている「教祖への信仰心以外は普通の人」を説得するのは困難ですし、説得すべきものでもありません。

特定の宗教を信じている人や教団が、殺人などの現世の罪を犯せば処断するのは当然ですが、宗教を信じて修行をしているだけの人に、「お前は間違っている」なんて言えません。いや、言うのは簡単ですが、説得はできません。

私は過去に、いくつかの宗教の「沼」にはまり込んでいる人たちと親しく付き合いましたが、それぞれの人にとって「沼」の居心地がいいのは間違いない事実で、私は最後には説得を諦めました。

自分が「沼」に引きずり込まれないようにするのが精一杯だったのです。

宗教を信じるのは自由です。あなたの信じる宗教は、あなたにとって間違いなく真理です。**でもねえ、あなたがその「真理」を周りに広めるのが救済だと信じているなら、それって周りの人からしたら迷惑なんですよ。**

私は、すでに世界で私一人しか信じていない「宗教」の信者ですが、私は私の感得した「真理」を他人に広めようとは決して考えていません。

ところで元官僚・弁護士の山口《やまぐち》真由《まゆ》さんと話をしていて、「神」について面白い話を聞きました。

彼女が官僚を辞めたのは、「他の官僚が信じる神を、私は信じられなかった」のだそうです。**ここで言う「神」とは、おそらく国家権力のことでしょう。**

日本の官僚は安月給でよく働きます。一昔前は「老後の天下り」という現世の利得がありましたが、今ではそれも少なくなりました。

それでもなぜ日本の官僚たちはあんなにも働き、あんなにもエラソーなのか?

私は前々から、若年の官僚が、不祥事を起こした高齢の企業幹部を呼びつけて説教するシーンを見るたびに、「なんで役人風情がこんなにエラソーにしているんだ?」と考えてきましたが、山口さんの一言で謎が解けました。

日本の高級官僚は、国家権力という「神」に仕える上級の使徒のつもりなんですね。

昔はこの使徒たちがそれなりに優秀だったので日本は安定した成長軌道に乗ることができました。

昨今の日本の低迷は、「神の使徒」である官僚の劣化の結果とも言えそうです。

第2章

官僚にうんざり

24年ぶりの円買い為替介入

２０２２年９月22日、日本政府が為替介入に乗り出しました。この日に投入されたのが約３兆円らしいですから、当面日本政府には為替介入の余力が残り、為替で投機を行っている皆さんは神経質な取引を強いられます。

日本政府が可能な円買い（ドル売り）為替介入の当面の上限は20兆円余りと見られています。

円の価値を上げるためには、ドルを売って円を買う必要があります。日本政府が持つドルには「約１８０兆円」という外貨保有の大きな制約があります。この多くはアメリカ国債ですから、すべてを売って為替介入に投じるわけにいきません。自ずと介入の上限が生じるのです。

しかしその一方で、為替で投機を行っている人にとっては「確実に儲かる」局面に入ったと言えます。これは個人でも応用可能ですが、実際に儲けに行くかどうかについてはあくまでも自己責任でお願いします。皆さんがＦＸ取引で何億稼ごうが「少しくれ」なんて言いませんが、「ケツの毛」まで抜かれるほど大損しても責任取りませんからね。

ところで、この時期のニュースの中で**私が一番興味を持ったのは、俳優の東出昌大《ひがしでまさひろ》さんが、山に籠って狩猟生活しているという話**でした。と言ってもこの種のニュース、基本的に見出ししか読みませんから、「東出さん、よく狩猟免許が取れたなあ」というのが第一の感想です。アメリカのように、田舎のショッピングセンターで軍用小銃に近い銃器が買える国は珍しいですが、日本ほど銃器所持が厳しい国も実は珍しいのです。

そういえば、インドシナ半島で魅力ある歴史を持つタイ王国は、私がバックパッカーだった今から40年ほど前、大麻を含む麻薬類の取り締まりが世界で最も厳しい国の一つとして知られていました。

そのタイが近年、大麻を実質的に全面解禁してしまいました。バックパッカーに人気のカオサン通り界隈では、銘柄物の大麻が堂々と販売されているそうです。一応今でも嗜好品としての使用、販売は非合法なんですけどね。昔は合法的に大麻を吸いたい日本人はオランダのアムステルダムなどに出かけて行きましたが、今後はタイに行く人が増えるでしょう。

別に大麻の解禁を論じようというのではありません。**日本の各種規制が世界の中で異様に厳しい中で、「世界は急速に変化しつつある」ということが言いたいのです。**

北ヨーロッパの中には新車登録のほとんどが電気自動車である国は今や全然珍しくありませんし、中国の総発電力中13％は太陽光によるものです。

原発関連組織から継続的に「裏・表」の広報予算が流れている日本のマスコミはよく「中国で新規の原発建設が進んでいる」と伝えますが、中国の総発電力に占める原発割合はわずかに2％、中国における太陽光、水力などの自然エネルギーの発電割合はすでに5割に近づいています。

残念ながらこの20年ほどで、日本はびっくりするほど「遅れた国」になってしまいました。その結果として今の円安があるとも言えるのです。通貨の価値は国力そのものですからね。

選択肢が限られた為替介入

　ということで話を為替に戻します。

　円という日本の通貨が、長年の異次元のバラマキと低金利で価値を失いつつあるのは、何度も書いた話です。**異次元のバラマキは、リーマンショック後に世界中の中央銀行が行い、その結果、世界の通貨は急速に価値を失いました。**

　世界中で発生しているインフレはその結果起きているものです。日本でも2022年3月まで1個110円だったマクドナルドのハンバーガーは、二度の値上げで150円になりました。日本の物価統計上、「モノ」の価格はすでに5%を超えるインフレになっていますが、家賃や運賃などの「サービス」価格の上昇率がゼロに近いために、統計上の物価上昇率は3%台にとどまっているのです。でも、生活実感として物価上昇率は、マクドナルドのハンバーガーがよく表していますよね。

　物価を抑えるための常道は金利を上げることです。**しかし日本では今、金利を上げるわけにいきません。**政策金利が上がると、住宅ローンなどの金利も上がりますから、

1戸1億円が当たり前になった都心のマンションなんか誰も買えなくなります。

当面日本の政策金利は上げられませんから、為替で短期～中期の売買で利益を上げようとする人たちは安心して円売りができます。

外国為替で儲けようとするとき、円は取引材料として安心感があります。だって当面、円が高くなる要素としては日本政府の為替介入しかありませんから、これを上手く使えば必ず儲かります。

政府が為替介入すると一瞬円高になりますが、やがて円安に戻ります。これがわかっている場合、政府が介入して為替が円高に振れた瞬間に円を大量に売ればいいのです。日本の投資家なら、手元に売るための円は豊富にあります。

みんながこの動きをすると、政府の円買い為替介入の効果は消し飛び、さらに日銀の低金利政策に変更がない限り円安傾向が続くのは容易に読めますから、政府の介入効果は長続きせずに円安に戻ります。

投機筋にとってこんなに簡単な儲け話はほかにありません。為替にせよ、国債にせよ、「傾向が読めてしまう」ということは、仕掛ける側に莫大なメリットをもたらします。日本が今、まさにそんな状態です。

2022年10月21日、150円台に下落した円相場を示すモニター。東京都港区の外為どっとコムにて。（写真／EPA=時事）

とはいえ、政府日銀が為替介入に乗り出して「円買い」を進めている時に、大量の円を売り浴びせて「円売り」で儲けるのは、私は日本人として「国益に反する反国家的行為」だと思います。だから私はやりません。

でもねえ、世界の市場参加者にそんな甘い考えは通用しないのもまた事実なのです。

暴走が止まらぬ検察

広島の河井克行《かわいかつゆき》・案里《あんり》夫妻の選挙買収に絡んで、検察審査会が「起訴相当（起訴しなさい）」と断じた35人の収賄側の人物のうち、25人が略式起訴になりました。

これを伝える新聞各紙は「検察よくやった」という論調の記事を一斉に掲載しましたが、とんでもない話です。

この結論こそが、おそらく検察が最初から狙っていた着地点で、一連の流れは現在の日本の検察の問題点を見事に凝縮していると思うのです。

この事件、私の感覚では、一般の皆さんの関心はかなり低いようですが、現代日本の構造を象徴する話なので、面倒がらずにお付き合いください。

この事件に関して私は、まだテレビでキャスターをやっていた頃から、「検察は収賄側を、法廷で『買収された』という証言を強いることと引き換えに無罪放免するつもりだろう」と危惧を口にしていましたが、私の最初の見立て通りの推移を辿りました。

私の予言が当たるのは、コロナの感染状況だけではありません。この検察の動きのように、背景に人の意思が働くケースでは、自然現象以上に正確に未来を予言することができるんです。人間の行動パターンなんて基本的にみんな同じですからね。

この点読めないのはプーチンです。**合理的な判断力を失っている人の行動は、合理的な分析では読めません。**

ところで、ロシアのウクライナ侵攻に関してですが、ロシアのテレビ番組で反戦を訴えた女性ディレクターがすぐに釈放された映像を無批判に流したメディアは、ロシアのメディアコントロールに支配されていると知るべきです。

このタイミングでテレビカメラの前で行われた女性ディレクターの釈放自体が、世界の世論対策なのは見え見えですからね。

計画通りの略式起訴

話を元に戻しましょう。

河井夫妻の逮捕に当たって検察は、**週刊誌が火をつけて新聞と野党が作った世論に**

迎合しました。そのため検察は、過去の判例に照らすと有罪立証しにくかった河井夫妻を確実に塀の中に落とすために、収賄側の100人を利用したのです。

検察は収賄側に、「贈賄だと意識して金を受け取った」と法廷で証言させることで河井夫妻の有罪を固め、その見返りとして収賄側を無罪放免にしたわけです。

酷い話です。

週刊誌報道をネタに国会で追及する野党と、日本の検察は大して変わらないってことです。検察は最終的に、市民が集う検察審査会で一部収賄側が「起訴相当」となるところまで読んでいたでしょう。

この時点で、検察にとって絶対に無罪になってはいけない河井夫妻はすでに有罪となり、収賄側の人々にも「起訴しない」という約束は果たせているわけで、「ここから先に起きること、つまり検察審査会の決定は俺たちと関係ないよ。俺たちは起訴しないという約束をとりあえず果たしたのだから」と収賄側に言い逃れることができます。

その上で改めて収賄側について、「検察審査会の決定という民意に従う」と表面上マスコミ受けの良いフリをして、**当初の計画通り「略式起訴の罰金刑」にしてしまっ**

たのです。

この中には300万円受け取った亀井静香《かめいしずか》氏の元秘書も含まれます。正式裁判になれば、300万円がどう流れたのか法廷で明らかになった可能性がありますが、略式起訴では「罰金払ったらそれで終わり」です。罰金の最高額は50万円です。

本来検察が明らかにすべきは、金を受け取って票集めをする地方議員や地方の有力政治家の汚い構造なんですが、今回のケースで検察はその役割を完全に放棄してしまいました。こんなことでは、この地方の汚い構造は全く変わりません。

なにせ、この事件の後ですら、堂々と地方議員が新人国会議員候補者に金を要求していたことが明らかになっていますからね。

検察審査会というのは、「検察が起訴しなかった事件について審査する」という役割しかありませんから、たとえ略式起訴でも、起訴された事件についての審査はできません。つまり略式起訴をもって完全に事件は終結してしまうのです。

検察が略式起訴にしなければ、35人の収賄者は検察審査会の2回目の起訴相当議決で正式起訴されて法廷に引きずり出されていたでしょう。

ところが今回の略式起訴によって、形式上検察は起訴したことになり、35人は検察審査会の審査対象者ですらなくなってしまいました。

今回の検察の処分は、「検察審査会の決定潰し」が目的なのです。それを伝えないマスコミは酷いです。

検察に計算違いがあったとするなら、35人の「起訴相当」者のうち9人が、検察の描く事件の構図に反旗を翻して、「俺は買収と意識して金を受け取ったんじゃない」と言い始めて略式起訴に応じなかったことです。

略式起訴という制度は、被告人が検察の描く事件の構図を全面的に受け入れて罰金を払うことが前提になっています。つまり検察の描く事件の構図に納得しないと正式裁判になってしまうのです。

9人はこれを選びましたので、今後、法廷で収賄側の目線で河井夫妻の選挙買収事件が裁かれることになります。法廷では、「法廷での『買収』証言と引き換えに検察に起訴しないと言われた」などの発言が相次ぐでしょう。

本来、これは大ニュースなんですが、多くのマスコミは事実上無視するでしょうね。だって、検察と一部有力マスコミの「蜜月関係」は酷いことになっていますからね。

カルロス・ゴーンを検察官が逮捕した場に朝日新聞の記者がいた話は有名ですが、ほかにも「財務省文書書き換え問題」は私の見立てでは間違いなく、検察から朝日新聞への違法なリークが報道の発火点です。

後に検察自身が「この案件に犯罪性はない」と断じていますが、犯罪でもない話を違法にマスコミにリークしてあたかも大事件であるかのように報じさせ、その結果、報道直後に文書書き換えを行っていた（させられていた）人物が自殺してしまったのです。

時系列を見ても明らかですが、この人物を直接的に自殺に追い込んだのは間違いなく検察の違法リークと朝日新聞です。

挙句の果てに検察が「この件に事件性はない」としたのでは、一体何の騒ぎだったんだって話です。

この検察の暴走を市民が止める仕組みは日本に一切ありません。安倍政権時代に、検察官の定年後の退職時期に関して、政治を通じて市民が一部関与できる仕組みが作られかけましたが、何もわかっていない一部芸能人などのTwitter攻撃（当然、一部マスコミと政党が背後で仕掛けたものだと私は確信しています）等によって潰されてしまいました。

もちろん検察官たちも反対の大合唱でした。

検察官は今の日本で暴走し放題です。最近の特捜部事件を見ても「明らかに暴走」と思うことが増えました。しかしそれをマスコミは指摘しません。検察はマスコミの「飯のタネ」ですからね。

ほんと、こんなことを見ていると、この国で暮らしていることがときどき嫌になります。

と言って、海外に逃亡してもいい事なさそうですし、だったらこの国を変えるしかないわけですが、私にはそんな気力も体力も、何より時間がありません。

若い皆さん、頑張りましょう。

コロナ対策の総括

2022年8月に入っていわゆる「第7波」のピークアウトの傾向がハッキリしてきました。各メディアは、「13日ぶりに前週の同じ曜日を下回った」なんて報道しましたが、これは事実誤認です。

このときの「13日前」のデータは三連休後の火曜日に異様に検査数が下がった特殊要因による数字ですから、前週の同じ曜日比較で数字が減るのはほぼ一月半ぶりでした。今後、日ごとのデータには増減のばらつきが出るでしょうけど、全体のトレンドとして感染者数は減っていくはずです。

もちろん日本における「コロナ感染者」というのは単なる検査陽性者数に過ぎず、検査能力のキャパシティというキャップがかかるのは事実です。そんなわけでときどき、「検査数のキャップがかかっているから、東京都の感染者数はこれ以上伸びないだけで、実際の感染はさらに広がっている」なんて主張する人がいますが、**発想が3年遅れです**。これによって計算の際の分母が小さくなり、日本の重症化率や死亡率が高く出ていることのほうが問題なのです。

中国などの特殊な国は別にして、欧米ではオミクロンに関して、2022年のはじめ頃から無症状者に検査をして「病人」を作る作業を止め始めています。

日本で第7波以前、特にコロナ騒動の広がり初期において、検査であぶりだした感染者数が全感染者のごく一部であった一方、重症者や死者はリアルな数字をカウントしていますから、日本においてこの病気、重症化率や死亡率が統計上の数字よりはるかに小さかったと推論できます。


WHOが発表する致死率に日本の人口等を掛けて、「日本における死者は40万人を超える」と煽った専門家は、自らの発言を総括すべきでしょう。


「総括」って、一部の人には懐かしい響きですよね。

1960年代、70年代の左翼全盛期に、内ゲバで身内を殺害する際に使われた言葉が「総括」でした。当時組織内で糾弾された人々は、「自らを総括せよ」と迫られ、挙句殺されてしまったのです。

私が「専門家」に迫る「総括」はそういう意味ではありません。単に「反省しろよ」と言いたいだけです。いまだにこれらの「専門家」に発言させているマスコミも同罪と言えるでしょう。

商品券付きPCR検査

実は東京の状況について肌で感じていることがありました。私、現在、週の半分東京に住んでいて、有楽町のニッポン放送まで約1時間かけて歩いて通っています。この時期、炎天下を1時間歩いていると全身汗だくになります。医学的に正しい行動なのか自信が持てないのですが、わざとたくさん汗をかくことで、体内の塩分濃度を下げているんです。

東京暮らしでは、口に入るものすべて、私の意思でコントロールしていますから（**大阪では目の前に並べられるものをすべて口に入れないと家庭の平和が乱れます**）、1日のカロリー、塩分などはおおよそ計算できます。

塩分を抑えた食事を心がけていても、かなり塩分オーバーになっているのは事実です。余分に取得した塩分を汗で排出するために歩いているんですが、もっと賢い方法があるような気もしています。

塩分調節に加えて、2021年は半年間狭い船の上で暮らして、下半身の筋肉がみるみる落ちる経験をしていますから、とにかく歩くことで下半身の筋肉を維持しようとしているんです。

ちなみに、大阪にいる間は、近くの公園の鉄棒で懸垂しています。太平洋横断直後は3回が限度でしたが、帰国から1年、ようやく7回までできるようになりました。目標は20回ですが、**生きている間にできるようになるか、かなり疑問です。**

話を本題に戻しましょう。ニッポン放送まで歩く途中に、「無料PCR検査所」の看板を掲げている店があります。この店、ときどき「高級トマト通販のサンプル配布所」になったり、「化粧品のアンテナショップ」になったりする不思議な空間なんですが、2022年夏は「PCR検査所」になっていました。

この頃「PCR検査をすると500円の商品券がもらえる検査所がある」とニュースになりましたが、この検査所で500円くれたかどうかは知りません。

私は東京にいる間、毎日この検査所の前を通ります。この空間が高級トマトの配布所だったときには、毎日プチトマト一つ欲しさにこの店の前をゆっくり歩いたりしていたんですが、**3日目に顔を覚えられて、サンプル配布のお姉さんに無視されるよう**

になりました。悲しかったです。

やるもやらぬも大差ない対策

第6波と第7波の間にこの検査所の前を通ったときには、検査所の中に「客」は誰もおらず、検査所の外で白衣の人たちが大声で「無料です！」と客引きをしていました。銀座では飲み屋でも客引きしませんので、結構異様な光景でした。「白衣の人の大声で感染が広がったらどうしてくれる！」と私は憤っていました。この検査所、感染終息期には、客引きをするのです。

それからしばらくして、検査所の中で高齢者の姿が目立ち始め、7月後半には検査所の前には青年～中年層の人々の行列が出来るようになりました。ところが、次第に検査所内のカウンターは埋まっているものの検査所前の行列がなくなり、8月に入って検査所の中のカウンターに僅かに空きが出るようになったんです。

私はこの検査所の前を毎日同じ時刻に通って定点観測していますから、この変化を肌で感じることができます。2022年夏には厚生労働省の陽性者入力システムが滞留して陽性者数が変動する事態になりましたが、信用できない統計数字より、自分の感覚器で確認できる事実こそ重要です。

皆さん、世の中の変化は、テレビニュースや、新聞報道からだけではわかりません。

大切なのは、自らの五感を研ぎ澄まし、その感覚を大切にすることなんです。

ところで最近の世界の統計を見ていて改めて強く思うことがあります。

新型コロナ騒動スタートから丸3年になりますが、この間の世界の対策で異彩を放っているのがスウェーデンです。この国はこの3年の間、他の多くの国で実施されたような厳しいロックダウンは一度も行いませんでした。

私は以前から、「スウェーデンのやり方が正解じゃないのか?」と言い続けてきましたが、結果を見ると、その判断が正しかったのがわかります。

スウェーデンはコロナ以前から、80歳以上の高齢者の積極治療を行わない方針が強く打ち出されていました。スウェーデンの医療費は全額国費で賄われますが、80歳以上だと救急搬送すらしてくれません。

数年前「ミッドサマー」というスウェーデンを舞台にしたホラー映画がアメリカで

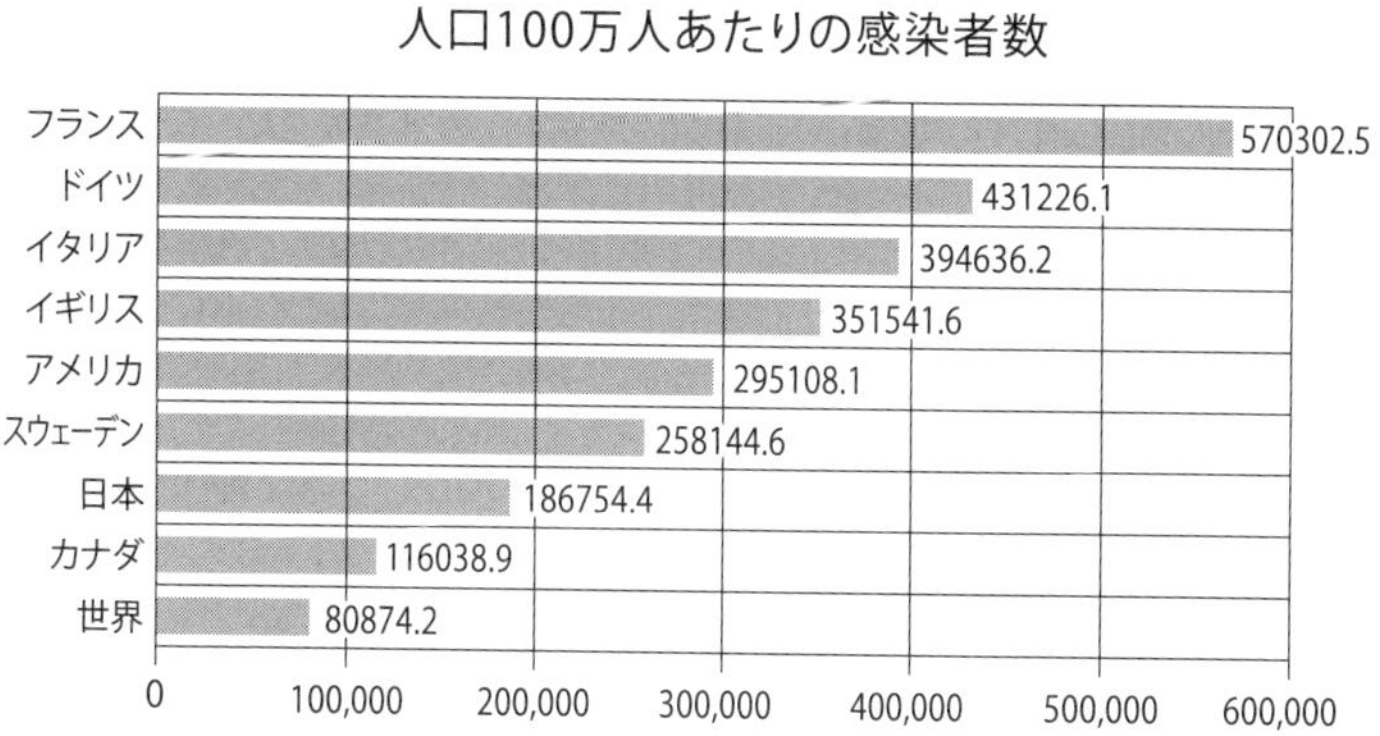

G7加盟7カ国、スウェーデン、世界平均における対人口100万人比の累計感染者数（2021年人口）。札幌医科大学医学部附属フロンティア医学研究所ゲノム医科学部門ホームページより作成。（2022年11月17日時点　https://web.sapmed.ac.jp/canmol/coronavirus/）

作られました。この映画に登場する村では、高齢者は全員72歳になると、崖から身を投げてしまいます。

これって、強烈なスウェーデン風刺のホラー映画ですが、**現実のスウェーデンも似たようなものです**。スウェーデンに限らず、医療費がタダの国では超高齢者の人工透析なんてしてくれません。

逆に言うと、これらの国では、「不摂生で人工透析なんてことになるとそのまま死ななくちゃいけない」という健康意識が高齢者の間で徹底していて、結果的に日本と平均寿命が大して変わらない数字になっているのです。

スウェーデンはそもそもそんな国ですから、高齢者が特異的に重症化する新型コロナの流行で、他国より致死率が高く出るのが当然です。

ところが最新の統計を見ると、人口あたりのスウェーデンの新型コロナの感染者数や死亡者数は、一言で言って「他国と大差ない」のです。厳しいロックダウンで社会の機能を止めた国と、通常の病気同様の感染防止の呼びかけにとどめたスウェーデンと結果が同じなのです。

これが、すべてを雄弁に物語っています。この事実の前で、議論の余地はありません。

日本をはじめ世界中のマスコミ、政治家、専門家が間違ってしまったわけですね。大勢が間違えると、誰も間違いを認めることすらしなくなります。これが、日本と世界の現状です。

良心に目覚めた?複数の「専門家」たちが非公式に、感染者の全数把握の停止と、65歳以下で基礎疾患などのない人のコロナ陽性確定のための受診を控えるよう声明を出しました。

あろうことか、厚生労働省は当初、専門家たちが正式にこれらの声明を出すことを妨害したのです。ほんと、「いい加減にしろよ!」と言いたくなります。

エネルギー政策の裏側

皆様、暑中お見舞い申し上げます。と聞いて、キャンディーズを思い出したアナタ、歳がわかります。

さて、エアコンをつけたいけど電力不足が心配だし、世間の電力不足はともかく、他人が儲ける自然エネルギーの賦課金まで上乗せされた電気代を払うのは腹が立つ！っていう人は多いでしょうね。また、太陽光発電に対する意図的なネガティブキャンペーンに洗脳されて、太陽光パネルを見るたびに腹を立て、「景観が～」なんて思う人も、結構な数いらっしゃると思います。

でもね、そんな皆さんにあえて申し上げます。**その発想は、日本の原子力学者と経済産業省の官僚の思うつぼですよ。**

世界中で、太陽光パネルを見て腹を立てるのは一部の日本人くらいでしょう。そのくらい、意図的な洗脳が日本で効果を発揮しているってことです。洗脳されている人のほとんどは、自分が洗脳されていることに無自覚です。

まあ、洗脳ってそういうものです。同様の話は、ほかにもたくさんあるんですが、今回は日本のエネルギー問題に特化してお話ししましょう。

私は元々、東日本大震災後の原発稼働には賛成でした。

事故のリスクと当座の電力の必要性を考えると、ある程度以上に安全が確保された原発を動かすことで、次世代エネルギーへの転換の時間を作ることは必要だと思ったのです。

でも、最近は少し考え方が変わってきました。

2011年の全原発停止から既に10年を経て、日本中の原発はこの間10年分老朽化が進みました。原発は元々40年間使用することを前提にしていたんですが、建て替えが進まないので60年間使えるように制度が変わっています。

さらに最近では運転休止期間を使用期間から除外して、60年をはるかに越えて運転できるように制度を変える動きがあります。

でも皆さん、60年前の機器って気持ち悪くないですか?

私も還暦を越えて、年々体のあちこちが痛むようになりました。どれだけ念入りに整備されていても、60年前の自動車や電化製品に１００％の信頼なんておけません。特に私は美浜原発の配管破裂事故を取材していますから、工業製品の経年劣化と金属疲労はどうやっても避けられないのを知っています。

しかも、いまだに使用後の核燃料の処理プロセスは日本で確立していません。

使用済み核燃料は、近くに寄るだけで人間が即死する放射線を何百年も出し続けます。最終的に使用済み核燃料が安定した物質になるのに10万年を要するのです。燃料に使えるウラン資源の残存量は、どんなに長く見積もっても数百年です。たった数百年のエネルギーの確保のために、10万年後の人類に影響を与える物質を日々作り出すのはどう考えても合理的とは言えません。

また、**関西電力が地元の有力者に金をバラまいて原発建設を進め、その有力者から長年関電幹部が多額の金品を受け取っていたことがニュースになったように**、原発建設には帳簿に載らない多額の金が動いている実態があります。表でバラまかれる金を含めると、原発の建設コストはとんでもない額に上るのです。

この金で太陽光パネルの設置と蓄電池の普及、水素によるエネルギー媒介手段の確立を進めていたら、日本は今頃世界一エネルギーが豊富で電気代が安い国になっていたはずです。

自宅の屋根で20年近く太陽光パネルの実証実験をしている私が言うのだから間違いありません。

今さかんに、「太陽光パネルの寿命は10年」なんてデマが飛んでいます。

意図的に作られたデマです。

科学的合理性だけ正しくても……

「永遠」とまでは言いませんが、太陽光パネル自体の寿命は人間の寿命に匹敵するでしょう。我が家のパネルは20年近く経過しても発電量はほとんど落ちていません。

ただ過去2回、電気機器を制御するための「パワーコンディショナー」を交換しています。この交換に、10万円単位の金がかかるのは事実です。

あるときホリエモンと話していたら、彼は「使用済み核燃料なんて全然問題じゃない。あんなもの日本海溝に沈めてしまえばいいのだ」と言いました。

実は彼の発言には、科学的合理性はあるのです。**すべての人類が、完全に科学的合**

理性のみで結論を出し、それだけで世論が形成されるのなら、ホリエモン案は一考の価値があります。でもね、無害なトリチウム水の海洋放水ですら地元が猛反発し、中国・韓国が嫌がらせの意思表示をする世界で、使用済み核燃料の海溝投棄なんて絶対に不可能です。

科学的、数学的には正しくても、社会的に不可能なことは世の中にたくさんあります。ホリエモンの「使用済み核燃料の海溝投棄」は発言自体がパフォーマンスで、本気でそれが実現できるとは思っていないはずですが、ときに理系の愚か者は物事を数字だけで考えて、それが本当に実現すると思っています。

本来、これらの「理系のアホ」をたしなめて正しい政策判断をするのは「文系政治家」の役割なんですが、日本ではこれが機能していないのです。困ったことです。

さて、経産省がいかに酷い政策で日本の世論を誘導してきたかの話に戻しましょう。私が自宅の屋根に太陽光発電パネルを設置した頃、補助金はなく、全額自己負担で数百万円を払いました。

当時関電から電気を買う値段より少し安い値段で、発電した電気は関電に引き取ってもらえました。私の記憶では電気を買う値段が1キロワット時あたり22円くらい、売電価格が20円くらいだったと思います。

私の頭の中では「私が生きている間に元が取れるかどうかトントンだなあ」という計算をしていました。

ところがこの関電の買取価格が民主党政権時代に突然上がったのです。

自然エネルギーを高価で買い取って、その価格を他の電力ユーザーに転嫁する制度がスタートしたのです。当時の新聞などは、「高い買取価格によって自然エネルギーを普及させる計画」と報道し、そう信じた人も多かったでしょう。

もしかすると、経済産業省の官僚に騙された民主党政権幹部すらそう信じていたかもしれません。

私は当時からこの政策を「明らかな経済産業省官僚による、原発回帰策」と読んでいました。だって、「こんなことをすれば、とんでもない速度で太陽光発電が普及し、準備のできていない送電網に負荷がかかり、一般の電力ユーザーから高くなる電気代に対して怨嗟の声が上がるだろう、しかも、一部の目端の利くものに、短期で莫大な利益をもたらし、それが自然エネルギーに対する厳しい世論を形成し、最終的に原発回帰の世論につながっていくだろう」と完全に読めたのです。

この制度発表後私は、**「大規模ソーラー発電所を建設したらノーリスクで一生遊んで暮らせる」**とすぐに気がつき、用地選定までまじめに考えたものの、「そんなに儲けても特に欲しいものもないし、面倒くさい」と考えてプロセスを中断しました。

同時期にソフトバンクの孫《そん》さんが大規模ソーラー発電所建設に手を挙げたのを見て、「流石《さすが》だな」とは思いましたけどね。孫さんにしてもユニクロの柳井《やない》さんにしても、正直、「そんなにお金持ちになって楽しい？」って思います。

この人たちは金持ちになることが楽しいんじゃなくて、お金を儲けるプロセスを楽しんでいるのだと思います。私にはできない芸当です。単純に面倒です。

民主党政権の愚か者によって始まった電力買い上げ制度のおかげで、我が家のパネルが発電する電気は1キロワット時あたり48円で買い上げてもらえるようになりました。それまでの買取価格が20円だったのでいきなり倍以上の爆上げです。

ところがこの買取価格には10年の制限が付けられていて、10年経過後は、一気に引き下げられてしまいました。我が家の買取価格は現在8円です。

過去10年の政策で我が家の太陽光パネルは、設置時の予想より早く元が取れましたが、民主党政権がアホな施策を始めなければ、1キロワット時20円程度の買取価格がずっと続いていたはずです。

そして、この10年間の買取価格は一般の電力ユーザーの負担になり、日本における反自然エネルギー、原発回帰の世論形成を加速させたのです。

まさに、原発を動かしたい経済産業省官僚の思うつぼです。

実は民主党政権時代の施策には、同様に、官僚に操られたアホな政策が山ほどあります。政治家が愚かだと、結局損をするのは国民です。

公務員の倫理観

まず独り言です。私、2022年4月に起こった4630万円誤送金事件で返金せずに逮捕された男に対して、実はかなり同情的なんです。

いかにもチャラそうで頭悪そうな男ですが、役所が誤送金さえしなければ犯罪者になることもなく、平穏に田舎暮らししてたんじゃないかと思うんですよね。

この事件では誤送金した山口県阿武町《あぶちょう》の弁護士が法律を駆使してほぼ全額を回収したと言われています。

でもねえ、実態はちょっと違うと思うんです。

今日本では、真っ正直に稼いだ自分の金でも、100万円以上を動かすことが困難なほど管理が厳しい状態です。あれだけの大金を動かすのに協力した人や会社、最後の送金先とされるネットカジノなど、「厳密に調べられると困る」という人や会社が問題に関わっていたために、事件のとばっちりを受けるのを嫌って早々に金を手放したんでしょう。

たぶん逮捕された男は、裁判後に隠しておいた金を回収するつもりだったのでしょう。問題の発端は町の誤送金にあるわけで、上手く裁判を乗り切れば執行猶予の可能性もないとは言えませんし、服役しても数年でしょう。数年の服役で５０００万円近い金が入るのなら、「刑務所くらい入ってもいい」と考える人がいても不思議ではありません。

日本の刑務所の待遇は、中国の「職業訓練所」よりはるかにいいです。劣悪な環境の中で精神の自由まで奪われる中国等の下層階級の日常生活に比べても、日本の刑務所の生活は天国です。

最近、こう思う日本の高齢者が増えてきて、病気を抱えて孤独に暮らすより、三食提供される上に身の回りの世話までほかの受刑者がしてくれる刑務所のほうがいいと、万引きなどの犯罪を繰り返してわざと刑務所に入る人がたくさんいます。

統計上、日本の刑法犯は激減していますが、高齢者の犯罪者だけが著しく増えているのにはこういう背景があります。生活保護を受けても、身の回りの世話は原則自分でしなくちゃいけませんが、刑務所なら誰かが付きっ切りでやってくれます。

金と同様、性欲などの娑婆《しゃば》の欲がなくなった高齢者にとって、刑務所入りを目指すのは合理的な行動です。しかしそのために、娑婆の人々が犯罪被害者になるのはたまったもんじゃありませんから、**いっそのこと、刑務所に入りたい高齢者を、「無犯罪」かつ「無裁判」で、無条件に刑務所に入れてあげるのはどうでしょうか？**　一度入所すると死ぬまで出所できないくらいの条件を付けないと、入所希望者が殺到しそうですけどね。

日本の高齢者が全員刑務所を目指さないのはなぜか？

これはひとえに日本人の倫理観の高さゆえだと思うんですが、これについて、私最近考えることがあるんです。

日本って、「世界一公務員倫理が高くて、役人への賄賂がほとんどないクリーンな国」っていうイメージありますよね。少なくとも私は長年そう信じてきました。でもね、最近少し考え方が変わってきたんです。

細かい賄賂はないものの

私が人生で役人の賄賂について最初にびっくりしたのはインド旅行のときでした。

1980年代初頭にインドに行って、カルカッタ（現コルカタ）空港に降り立って入国審査を受けていると、係官が荷物の中からワンカートン（10箱）のマルボロを見つけたんです。

係官はカートンを指さして次に自分の顔を指さします。いくら鈍感な私でも「一つくれ」と言っているのはわかります。その場でカートンの包装紙を開けて一つ差し出すと、「もう一つくれ」と手振りで示します。仕方なく煙草二つを渡すと、係官は満面の笑みを浮かべて今まで中をかき回していた私のカバンのファスナーを閉めて、「オッケー」と言います。

ところがこれで検査は終わりではありませんでした。ファスナーを閉めた男の隣にもう一人税関の職員らしき男がいて、この男が私の荷物を調べ始めたんです。「さっきの検査官はオッケーって言ったぞ」と言ってやろうかと思ったんですが、隣にいて一部始終を見ていたはずの男に言っても無駄だと思ったので黙ってカバンを検査官に任せました。検査官はひとしきりカバンの中をまさぐっていましたが、やがて煙草を見つけると私に満面の笑みを向けます。

鈍い私でもさすがにこれはわかります。「どうぞ」と手で示すと、男は煙草2箱を素早く抜き取り、カバンのファスナーを勢いよく閉めて「オッケー」と叫びました。**これで終わりかと思ったら、第三の男が出てきたのには驚きました。**

同じようなやり取りの末にやはり煙草を二つ取られ、残りは4つしかありません。煙草2箱×3人で税関検査は解放されたのですが、空港の出口に別の係官がいて、もう一度荷物検査を迫ります。正直勘弁してくれと思いましたが、「郷に入っては郷に従え」、煙草で楽に国境を越えられるなら安いもんだとカバンを渡すと、やはりひとしきり中をかき混ぜます。

この段階で残った煙草を死守しようと別のカバンに移し替えていましたから、もうカバンの中には煙草はありません。すると男はカバンの中から缶コーヒーを見つけ出して「これは何か？」と聞きます。「缶入りのコーヒーである」と答えると、物珍しそうに眺めていて、やがて缶コーヒーと自分の顔を交互に指さし始めました。「どうぞ」と手で示したら、一瞬で荷物検査は終わって無事入国できましたが、この時点でコーヒー1缶と煙草6箱を失っていました。

その後いわゆる途上国に行くたびに似たような経験をして、「世界の役人は賄賂がないと働かない」と学習しました。

それでも煙草2箱なんていう賄賂は可愛いもので、中国などでは、数十万円規模の賄賂を渡さないと、自宅に電話も引いてもらえないと聞きます。

そんな国に比べると「日本の公務員は本当にクリーンで働き者だなあ」というのが私の長年のイメージでした。

でもね、さっき書いたように、この考えが最近変わってきてるんです。別に日本の公務員が、細かい賄賂を要求するようになったと言いたいのではありません。

日本の公務員は変わらずクリーンに働いています。**一人一人の公務員はクリーンだけど、組織全体として合法的に巨額の賄賂を稼ぐ構造**になってるんじゃないかと思うんですよね。

外国、特に途上国で政治家が賄賂を要求するのは日常の風景です。日本でも「政治資金」として政治家が関連業界に金をたかる構造がありますが、これは合法です。さらに国会議員には給料に相当する歳費とは別に、実質的に使途自由かつ非課税の100万円が毎月支給されています。

これって合法である分、賄賂よりタチ悪いですよね。

知床遊覧船事故の後、国交省は業務用の船舶検査の強化や業務監督者に対する新制度発足を主張しています。

多くの国民はこの動きに賛成でしょうが、見方を変えると国交省の利権強化でもあります。元々海外では例を見ないプレジャーボートへの船舶検査や操縦免許が国交省利権なのはよく知られています。

別に船舶検査の費用が末端の公務員の懐に入るわけじゃないですが、そこで働く公務員はやがて検査機関などへ天下って、高額の報酬や退職金を保証されるシステムが出来上がっているのです。

この構造はどこの省庁も同じで、税務署職員が退職後に税理士になったり、警察官ＯＢが運転免許関係の団体の職員やパチンコ業界の「用心棒」として老後を安定的に過ごしているのをみんな知っています。**当然すべて合法です。**

日本では日常的に末端の公務員がチマチマと賄賂を取るようなことをしませんが、大きな視点で見たとき、組織的かつ合法的に国民から金を巻き上げて、その金を高齢の組織員に分配するシステムが出来ているのではないか？

これが私が最近感じる日本の光景です。

この視点に立つと「日本の公務員は世界一クリーンで働き者」とばかり言っていられません。この構造が単に公務員の老後保障として働くのは許容限度内ですが、この構造がニッポンの発展阻害要因になっているのが問題だと思うのです。

例えば自動運転車が普及すると、運転免許制度の廃止を含めた既存制度の抜本改革が必ず俎上《そじょう》にのせられます。

つまり、自動運転車の普及は役所の利権の阻害要因になる可能性があるのです。国交省と警察庁があらゆる手段を使って自動ブレーキ、自動運転車の日本での普及を妨害してきたことは、過去に私のメールマガジン等で何度も書きましたが、同じ構造は日本のあらゆる分野に存在します。

役所のさまざまな利権構造が日本の発展阻害要因となって、「失われた30年」が起きてしまったのではないか？　私はそう思うのです。

この状態を放置すると日本に未来はありませんが、**既存マスコミは役所と一体となって利権維持に汲々としています**。困ったことです。

世界初の実験成功

いつものように、ぼうっとＮＨＫニュースを見ていて「まだやってるよ」と思わず呟いてしまいました。私が少なくとも過去10年間にわたって言い続けてきたのに、全くその声が届かないのが本当にもどかしいです。

結論から先に言います。

日本の役所が補助金を出して進めている、日本流の自動運転車の開発は全くの無駄に終わります。

理由は単純です。

日本の役所主導の自動運転車の開発は30年以上前から継続して行われていて、かつては発想を含めて世界最先端を走っていました。ところが、今や発想自体が陳腐化してしまい、この延長線上に未来の自動運転車は絶対に存在しないのです。

もうそれは何年も前からわかっていたのに、いまだに役所も一部の科学者も舵を切れないでいるんですね。長年、この研究に人生を捧げてきた役人と科学者は気の毒ですが、日本の自動車産業の未来のために急いで完全に終止符を打ちましょうよ。

なぜ日本の役所主導の自動運転車の開発は無駄に終わると断言できるのか？

それは、日本の発想が「役所と業界の利権をいかにして拡大、継続するか？」という観点に立っているからです。

道路を選り好みする自動運転システム

道路、交通標識、信号、運転免許制度等々、**日本の自動車産業の周辺は利権の塊です。道路関係の役人の皆さんはこの利権の守護神なんです。**

役人の皆さんが自動運転システムの発想を最初にした頃、今のようにコンピュータチップの性能が上がるなんて想像もつきませんでしたから、一昔前のゴルフ場のカートのように、道路にガイド電線を敷いて、その上を車が走るような発想をしたんですね。

これなら、道路関係のインフラ整備は拡大継続させることができますから、大勢の天下り役人を受け入れている道路関係の業界構造を末永く存続させることができます。

私が先日ＮＨＫのニュースで見てびっくりした映像は、「高速道路などで、側道から本線に車が合流するとき、周辺の監視カメラで捉えた本線道路の走行車の情報を無線通信で側道からの合流車に送って、合流車がその情報を基に合流タイミングを計り、本線の車と衝突せずに合流できる」という「最新装置」の実験でした。

ニュースではさかんに「世界初の実験に成功」なんて大袈裟に伝えていました。

私は思わず頭を抱えてしまいました。

そりゃ世界初のはずです。こんなシステム、今どき誰も考えませんからね。

この発想がなぜダメなのか？

自動車は世界を相手に売らなくてはいけない商品です。

ところが、ＮＨＫの実験映像で公開されたシステムでは、本線道路等に複雑なシステムが存在することが自動運転の前提になっています。当然そのシステムのない道路でこの「自動運転」は全く機能しないわけです。

「ガラパゴス」ここに極まれりです。外部のシステムに依存する「名ばかり自動運転車」なんか世界で売れるはずがありません。

世界を相手に商売する自動車は、どの国のどんな道路事情にも対応して自律して走らなくちゃいけないのが大原則です。それなのに、**日本でしか設置可能性のない特殊な装置に依存しないと自動運転できないような車、世界で商売になるはずがないですよね。**

もっとハッキリ結論を言うと、日本の自動車産業は、日本の役所の脳みその足りない各種規制と方針で、息の根を止められつつあるんです。道路に敷いたガイドワイヤーの上を走る自動車や、信号機と車が通信しあうシステムなんて、ほとんど化石の発想で、世界中誰もそんなことを考えていません。

世界中で唯一、日本の役所と科学者だけがこだわっている「世界一遅れた仕組み」なんです。わかっているのにこれを指摘せず、役所の指導に唯々諾々と従う日本の某自動車メーカーも共犯と言えます。このメーカー、今は我が世の春を謳歌しているように見えますが、衰退し始めたら、一気にダメになるでしょう。

世界の自動運転車は、道路脇のセンサーなどの必要ない、自律的なシステムを目指しています。

現在、人間の運転する車が走るのに「信号と車が通信するシステム」や「高速道路の合流に際して本線の走行情報を教えてくれるシステム」なんか存在しないわけで、運転者が五感（味覚は関係ないですね）で得た情報を基に車を走らせています。

人間の五感に代わって各種センサーが車の周辺状況を把握し、脳に代わってコンピュータがセンサーの情報を処理すれば、外部インフラの必要ない自動運転車は完成するのです。一昔前は、人間の脳並みの処理能力を持つコンピュータの開発が夢物語だったので、「道路に敷いたガイドケーブルの上を走る自動運転車」なんて発想をするしかなかったんですが、今や全く世界の光景が変わっています。

その変化に日本の役人は全く対応できていないんです。

今どき、「道路状況を無線で車に送信する」なんて発想自体あり得ません。そんな外部インフラが必要な「名ばかりの自動運転車」が、道路インフラすら満足に整っていない外国で売れるはずないでしょう。

自動車産業が日本だけの販売で商売が成り立っていた時代なら、役人が作る閉鎖環境の中でメーカーは生きていけたでしょうが、もうそんな時代じゃありません。

日本の自動車メーカーは一刻も早く、日本の役人が作る「業界利権ファンタジー」に基づく閉鎖環境」から抜け出す必要があります。そうしないと未来がありません。

私は過去10年、個人的に「自動ブレーキ」や「アダプティブクルーズコントロール」という自動運転に直結するシステムを積んだ車を6台乗り継いできました。

後者のシステムは、前に車がいる場合にはその速度に合わせて加減速を行い、前に車がいない場合には自分が設定した速度で車を走らせてくれます。その間、アクセル、ブレーキの操作は全く必要ありません。

ほぼ10年間このシステムを搭載した車に乗って感じるのは、圧倒的な外車の性能の良さです。私が太平洋横断後に初めて買った国産車は、6年前に買ったドイツ車と比べて本当に性能が低いです。

本当に性能が低いのか、それともわざと性能を落としているのかわかりませんが、猛烈に使いにくいのです。日本の役所が作る指針を従順に受け入れたシステムは、「絶対に自動運転は許さない」とばかりに、例えば前を走る車が左折していなくなった瞬間にオートクルーズの設定が解除されたり、走行中に突然前車を認識しなくなって加速を始めたりするんです。

6年前に買ったドイツ車はアダプティブクルーズコントロールに切り替えた瞬間、運転者である私は何もすることがなくなりますが、太平洋横断後に買った日本車のクルーズコントロールでは、恐ろしくてアクセル・ブレーキから足を離せません。**私の買った日本車は「車は人間が運転するもので、自動運転なんか許さない」という日本の役所の方針を反映したセッティングになっているんです……**って、自分の車の悪口を言うのもいかがなものかって話ですが。

私は過去10年間に、国産車4台、ドイツ車1台、イタリア車2台、イギリス車1台を買いましたが、30年前には確かに感じた日本車の優位性を意識することが全くなくなりました。今やイタリア車ですら、ちょっとやそっとでは壊れませんからね。昔はイタリア車と言えば「乗っている時間より、修理工場に入っている時間のほうが長い」というのが常識でした。

今、そんな常識はどこにもありません。おそらく、韓国車や中国車も同様でしょう。日本の役所の皆さん、利権に噛り付いて日本の自動車メーカーから未来を奪うのはやめてください。日本の自動車メーカーが壊滅したら、皆さんの未来も確実になくなりますよ。

海上保安庁の意識

私を含め大方の日本人は、「海上保安庁は海の警察兼消防」のようなイメージを持っていると思います。だから海上での遭難事故の際に救助してくれるのは海上保安庁だとみんな思っているわけです。

ところがこれは、現場の海上保安官の意識とは乖離《かいり》があるかもしれません。

艦船「あさぎり」と聞いて皆さんはどんな船を思い浮かべるでしょうか？

少し軍事に詳しい人なら「海上自衛隊の護衛艦」と思うはずです。ところが、海上保安庁の皆さんは、第八管区の巡視艇を思い浮かべるでしょう。実は、海上自衛隊と海上保安庁には同じ名前の艦船がたくさんあります。

日本で海上保安庁が誕生したのは第二次大戦終戦から3年目の１９４８年です。これに対して海上自衛隊が発足するのは日本独立後の１９５４年です。海上保安庁が誕生したとき、海上保安庁の巡視船の名前には、旧海軍の駆逐艦名が多く付けられました。

海上保安庁の皆さんの胸の中には「我こそが帝国海軍の伝統を受け継ぐ組織だ」という誇りがあるのです。

誇りと言えば聞こえがいいですが、悪く言えば「勘違い」なわけで、**海上保安庁の役割と海上自衛隊の役割の線引きが、法的にはともかく、日常業務の中ではとても曖昧な部分があるんです。**

私はシンプルに海上自衛隊は侵略に対する防衛戦闘組織、海上保安庁は海難救助組織に特化すべきだと思うんですが、設立時の経緯などもあって、なかなか現場の意識がそうなっていないんですよね。

典型的なケースが2001年に起きた北朝鮮工作船に対する銃撃と撃沈です。

本来これは海上自衛隊の仕事だと思うんですが、実際に工作船を機関砲で撃沈した（巡視船は機関砲で応戦しただけで沈没原因は後に自沈とわかりました）のは海上保安庁の巡視船です。

私はこの応戦の判断は正しかったと思っていますが、「これって海保の仕事かしら」という素朴な疑問は今でもあります。

でも、もし北朝鮮の工作船に海保ではなく海自の船が応戦していたら、国内の左派マスコミから轟々たる非難が巻き起こり、「人権派」と称する特殊な思想性を持つ弁護士らから自衛官が「殺人罪」で告訴されていたでしょう。

機関砲をぶっ放して工作船撃沈のきっかけを作ったのが海上保安庁の巡視船だったから国内問題にならなかったわけで、この一事をもってしても日本国内の一部の歪んだ安全保障意識がわかります。

さてなぜこんな話を書き始めたのかというと、知床遊覧船沈没の経緯をつぶさに観察すると、海上保安庁の救命意識の希薄さを感じないわけにいかないからです。

海上保安庁の最大の役割は海難救助だと私は個人的に考えていますが、どうやら組織の意思がそうなっていないように思うのです。

私は今回の事故の本質には、「なぜ事故を起こしてしまったのか」と「なぜ事故後26人を救えなかったのか」という二つの側面があると唱えています。

事故から1カ月ほど経ってようやく北海道の某テレビ局が、「最初の海保への通報から1時間程度船が浮かんでいたはずなのに、なぜ救助できなかったのか？」という趣旨の報道を始めましたが、中身を見ると、「海保にその能力がなかった。対中国の哨戒に機材と人員を取られてしまっていたために海難救助に割く資材と人員の余裕がなかった」という結論に至っていました。

海保に危機感はあったのか

ぶっちゃけ言うと完全に「海保の思惑通り」です。

すでに報道されているように、海保は今回の事故を受けて、「2機体制」が原則のヘリコプター配備を「3機体制」にしたい意向や、「スラスター（船を横に動かす装置）も付いていない古い巡視艇の更新」さらには「事業者に対する新たな資格制度の創設」などを打ち出しています。

素朴に私の感想を書くなら、「これって、事故を奇貨とした焼け太りじゃないの？」です。今回の事故時に海上保安庁のヘリコプターは「1機が整備中で1機がパトロール中だったために、給油のために基地に引き返さざるを得なかった」と報じられて、皆がこの説明に納得しているように思います。

かくしてヘリコプターが到着したのが午後4時半、海保に第一報が入ってから3時間以上が経過しています。

これでは誰一人救助できなかったのは当然です。

先の北海道の某テレビ局の報道によると、観光船は午後2時くらいまでは海面に浮いていたようです。この時点で観光船は海保に「浸水している」と伝えているわけで、26人は今にも救助されるものと信じていたでしょう。

低体温症を考えると、船が沈んでから生き延びられる時間は救命筏《いかだ》などが無ければ最大で30分程度です。2時に船が沈んだとして、2時半が人命救助の限界点です。

これは結果論でなくて、ある程度海の知識がある人間が「小型船が浸水している」と聞いたときに当たり前に想像できる推移です。

私には、「連絡したので、すぐに救助が来るはずだ」と信じて冷たい海面に浮いていた人の気持ちが痛いほどわかるのです。

この危機感が第一報を受けた海上保安官をはじめとする現場にあったのかどうか？

ヘリコプターの1機が整備中で、残る1機しか使えない状態だったのに、海難事故が起きてもすぐに出動できない状態だったのは論外です。これでは何のための「パトロール」かわかりません。

パトロール中のヘリコプターが給油せずに現場海域に向かい、2時半までにヘリコプターが到着していたとしても、全員の救助は不可能だったかもしれません。ヘリコプターが吊り上げて救助できる人数には限りがあります。

しかし、救命筏などを投下することである程度の人数は救えたと思います。

26人全員を救助するためには事故当日の2時半までに現場海域に船を送る必要がありました。これがもっと沖合の事故なら、どうやっても救助は不可能です。しかし、今回の事故なら、26人を助けるチャンスはあったのです。

基本的なデータを書きます。

当時の現場海域の波高は2・5メートルから3メートルでした。

海上自衛隊の持つ海難救助艇の着水限界が波高3メートルです。海難救助艇が着水できるということは、ゴムボートに船外機を付けただけの救命部隊が走行可能な波の高さだということです。

例えば大阪湾で3メートルの波なんてあり得ませんし、波長の短い3メートルの波の中で船を走らせることなんて不可能です。しかし太平洋やオホーツク海などの大きな海では3メートルはそんなに珍しい波ではありません。波高15メートルの太平洋を小型船で走った私が言うんだから間違いありません。

観光船の事故海域は最寄りの漁港から約15海里です。

波がなければ普通のモーターボートで30分くらいの距離ですが、波がある場合の到着時間は波の方向によりますからなんとも言えません。

だから第一報を受けてすぐに最寄りの漁港などから船を出していたとしても2時半までに現場海域に到着できたかどうかはわかりません。

ただ、私が今回の観光船の乗客の立場なら、その努力をしてほしかったと思うのです。

オホーツク海で3メートルの波は、絶対にプレジャーボートが出航してはいけない波の高さですが、出航しなければ人が死ぬのがわかっていて出航できない波の高さではありません。

現地の他の観光船の皆さんや、現場の漁師さんたちは、北海道の放送局の取材に対して「海上保安庁が救助に行ってくれるものと思っていた」と語っています。

これは今回事故後に聞いた現場の声の中で数少ない「本音」です。

ここに書いた内容は、事故直後に家族に語って「父ちゃん、テレビやラジオでそれ言うたらアカン」と長男に止められた内容に近いです。

これは限られた人にだけ伝えておこうと考えていたのですが、最近の国土交通省の「無責任な焼け太り」発言の数々に怒りがわいたことと、物言えぬ26人の無念を強く意識するようになって、禁を破ることにしました。ちょうど古巣の「そこまで言って委員会ＮＰ」がインタビュー取材したいと言ってきましたので、応じることにしました。

この番組、ありがたいことに、太平洋横断成功後数回、「そろそろパネラーとして出ましょうよ」と言ってくれていたのですが、「ニュースステーションを辞めた久米《くめ》宏《ひろし》が、古舘《ふるたち》さんの報道ステーションにコメンテーターで出るなんてあり得ないだろう」と言って、遠慮してきたんですが、「私でないと言えないこと」なのかもしれないと考えて出演することにしたのです。よく考えたら私は久米宏ほどの有名人じゃないですけどね。

第3章

日本の劣化が日に日に酷くなっている

価値を落とすドル、さらに落とす円

私が小学生の頃、ハワイ旅行は「夢」でした。

当時の人気番組「アップダウンクイズ」のキャッチフレーズが「10問正解して夢のハワイに行きましょう！」だったのは、一定以上の年齢層の皆さんは覚えていますよね。毎日放送の小池清《こいけきよし》アナウンサーの司会ぶりが懐かしいです。

ハワイが「夢」だった時代には、日本で海外旅行は自由化されていませんでしたし、外貨不足に悩む日本政府の政策によって、「両替して海外に持ち出しできるドルは500ドルが上限」と決められていました。

当時の日本円なんて、今の北朝鮮の通貨並みに国際的に無価値なものでしたから、海外に円を持っていっても現地でドルに両替なんかしてくれません。日本の銀行で上限の500ドルに替えて、これを持って海外に行くわけですが、500ドルじゃあ、長期滞在は不可能ですよね。

この時代、長期で海外に行く場合には、「国際空港の入国者出口で海外からやって来る観光客を待ち構えて、外国人観光客に銀行より有利なレートを持ち掛けて円とドルを交換することで、５００ドルを超えるドルを手に入れる」なんてことが普通に行われていました。

途上国ですら最近ほとんど目にしなくなった「闇両替」が、日本でかつて横行していた時代があったんです。

万札が紙くずだった時代、そんな時代がかつて確かにありました。

でも今は違います。円は、ドルやユーロと並ぶ国際通貨として、世界中どこへ持っていっても「価値あるもの」として現地通貨と両替できます。

実は私がバックパッカーだった１９７０年代後半くらいは、「日本で一旦円をドルに替えて海外に持ち出し、ドルから現地通貨に替えたほうが、二重に手数料を取られることを考えてもレートが良い」という時代でした。

円に今ほどの価値がなかったことと、海外で円を受け取った銀行が円を保管、両替するのに保険料など余計な経費が掛かるために、円のレートが悪い国が多かったんですね。今ではそんなことも稀になりました。

でもねえ、よく考えてみたら、一万円札なんて原価20円程度の紙切れですよね。一方「ドル」はかつて、人類にとって絶対的な価値を持つ純金と交換できる通貨でした。ドルの価値は、アメリカ政府が保有する「純金」に裏打ちされていたんです。

ドルは円などと違って、ただの紙切れでなく、純金との交換をアメリカ政府が保証する通貨だったんです。でも今は違います。アメリカ政府が持つ純金の総量に通貨発行量を連動させておくと、必要なときに機動的な経済政策ができなくなったりしますから、アメリカは1971年にドルと金の交換を停止しました。

それまでは35ドルと約31グラムの純金の交換がアメリカ政府によって保証されていたんですが、これ以降、ドルの価値は純金でなく、アメリカ政府が価値を保証するシステムに切り替えられたのです。

日本円でも、原価20数円の紙切れが1万円の価値を持つのは、日本政府がその価値を保証しているからです。**北朝鮮の発行する通貨が国際的に通用しないのは、通貨の表面に「10万ウォン」と書かれていても、メモ用紙としての価値しか持たないからです。**通貨というのはそういうものです。

思い切りザックリ言うと、通貨が通貨として通用するのは、「みんながそれに価値があると考えているから」、それだけのことなのです。

昼食に3000円出せますか？

ところが、リーマンショック後の「100年に一度の経済危機」に対応するため、世界中の政府と中央銀行は、お札を刷ってばらまく政策を始めました。短期的に効率よくやれば、確かに景気刺激にはなります。ドルの発行に純金の裏付けが必要な時代にはこんな政策はできません。

だって、たくさんのドルを印刷するためには、その額に見合った純金をアメリカ政府が持っていなくちゃいけないわけですからね。

お札に絶対的価値のある純金等の裏付けがなく、単に政府に対する信頼によって通貨の価値が保たれている場合、お金をばらまく政策をやり続けると、当たり前の話ですが、各国のお金に価値がなくなります。

今まで、1000円で枕一つが妥当な交換条件だった場合、お札の価値が半分になったら、2000円出さないと枕を買えなくなります。物価上昇とは、通貨の価値が下がるのと表裏一体の現象です。今世界で起きていることはこれです。お札をどんどん刷って市場にばらまいたために、お札の価値がなくなって、何かを買うときにたくさんのお札が必要になっているのです。

2022年夏にアメリカに行って、この現象を痛感しました。ホノルル空港の免税店で売っている「ネック・ピロー」、要するに飛行機に乗るときに首の周りに置く枕の値段が35ドル99セントだったんです。「枕一つ5000円」というわけです。

アメリカで、凄いスピードでドルの価値が落ちているのがわかります。ちなみにオアフ島のホノルル郊外のハンバーガーショップのハンバーガー1個の値段は大体12ドルから15ドルくらいです。コーヒー1杯6ドルが当たり前です。昼ごはんにドリンクとハンバーガーを頼むと、確実に20ドルにはなります。日本円に換算して3000円くらいです。ホノルル市内だと、さらにこの5割増しです。もし、日本円に絶対的な価値があったなら、ドルの価値が落ちている今、ドルに対して円は高くならないとおかしいですよね。

ところが、ものすごいスピードで価値が落ちているドルに対してすら、円は安くなっているのです。「枕」や「ハンバーガー」という「本質的な価値」を持つものに対してドル紙幣が紙くずになっており、それ以上に万札が紙くずになっているわけです。

通貨の価値が、「それを手にする人の信頼」によって支えられている時代に、お札を刷ってばらまく政策を長期に続けたらどうなるか？

今起きていることは、長期にわたった政策の当然の帰結です。これはサルでもわかる話なんです。

北京オリンピックで取れなかった毅然たる態度

新聞テレビ欄の各局ワイドショーの番組内容を見ていると、どこもネタの選択に苦しんでいるのがよくわかります。３年近く、何も考えなくても「新型コロナ騒動」で視聴率を稼げていたために、ほかのネタで視聴率を取る方法を忘れてしまった感じです。

でもまだ3年ですから、軽症かもしれません。新型コロナ騒動で視聴率を稼ぐ手法が５年も続いたら、テレビの情報番組は確実に終了していたでしょう。

日本の金融機関は、１９８０年代後半のバブルの時代に不動産担保の融資で大金を稼ぐことを覚えてしまったために、まともな融資で企業を育てる機能を失いました。その結果、日本で将来性のあるベンチャー企業に金が回らず、結果として「失われた30年」を迎えてしまったのです。

中国のことわざに、「一日千里を走る馬はいるが、千里を走る馬を見抜く人がいない」というのがありますが、日本では「１０００億稼ぐ可能性のあるベンチャーはあるが、

1000億稼ぐベンチャーを見抜く人がいない」状態になったのです。この「1000億」はことわざに掛けた数字です。だって2003年創業のベンチャーの雄である電気自動車製造会社テスラの株式時価総額は、2021年に100兆円に達しましたからね。

強気に出られないアメリカ

トランプ政権以来、アメリカと中国の関係は最悪で、この状況を支持するアメリカ世論を背景にして、バイデン政権も中国との関係を修復できずにいます。

と、書くと**私が米中融和を求めているように感じる人がいるかもしれませんが、そんなつもりは毛頭ありません**。

バイデン政権が、中国・北京で開催された冬季オリンピックで「外交的ボイコット」を行った背景には、すでに壊れている米中関係があると指摘したいのです。

米中間の貿易はお互いの国益の根幹に必要なものだけに削ぎ落されていますから、アメリカが中国のオリンピックに「外交的ボイコット」をしても、現在以上に米中関係が悪化することはありません。これはアメリカに追随したオーストラリアにも言えることで、オーストラリアに対する中国の嫌がらせは頂点に達していて、これ以上豪中関係が悪化することは考えにくい状況です。

この点、中国との貿易をテコに30年の経済的低迷から抜け出そうとしている日本とは状況が少し違います。韓国がいち早く「外交的ボイコットをしない」と明言したのは、韓国の文在寅《ムンジェイン》政権が基本的に反米だからという事実はありますが、**今の韓国は中国を敵に回すと滅びるくらい中国に依存する経済構造**になっていることのほうが大きいのです。

過去10年を振り返っても、韓国への米軍ミサイル配備に反発した中国の「韓国ボイコット」で、韓国は痛い目に遭っていますからね。同盟国とはいえ、簡単にアメリカに追随するわけにいかないんです。

それに韓国の態度が象徴的ですが、かつての冷戦時代なら、アメリカが中国をボイコットすると言えば、少なくとも即座に50カ国くらいは同調したでしょう。1980年の旧ソ連・モスクワオリンピックをアメリカがボイコットしたときには、60カ国以上が同調しました。まあ、ボイコットの理由になったソ連のアフガニスタン侵攻は、いくら冷戦時代とはいえ無茶苦茶な行為で、「極めて強い疑惑」段階である中国の「ウイグル民族大虐殺」に比べても問題は一段上ですけどね。

あのときアメリカが、選手派遣を含むオリンピックの完全ボイコットができたのは、現在と違ういくつかの理由があります。

まず一つ目の理由ですが、当時は今ほどオリンピックが商業化しておらず、アメリカの単独のテレビネットワークが数千億単位の金をＩＯＣに払って中継する構造が出来上がっていなかったことが大きいです。

今、アメリカが選手派遣を含むボイコットをしたら、首を絞められるのはアメリカのテレビ局です。

そしてさらに大きな理由は、アメリカの国力低下です。

実はアメリカは、公式に「オリンピックボイコット」とは一言も言っていません。あくまでも「政府関係者を派遣しない」と言っているに過ぎないんです。

水面下で同盟国に同調を求めているのは間違いないですが、表立っての同調呼びかけもしていません。なぜなら瞬時に60カ国以上がアメリカに同調したモスクワオリンピックの時代と違って、今回アメリカが同調を呼びかけても、韓国のように堂々と反旗を翻す国が続出してしまうのは間違いありません。

逆に中国マネーを頼る100カ国近くの途上国が、瞬時にオリンピックの参加表明をするでしょう。アメリカがオリンピックボイコットを表立って呼びかけると、その瞬間にアメリカの国力低下と、中国の国際社会における力の強さが際立つ結果になるのです。

だからアメリカは今回、アメリカにとって最もダメージの少ない「政府関係者を派遣しない」という、腰の引けた態度になったのです。

でもね、私はそれでもアメリカの対応は必要だったと思うのです。

モスクワオリンピックを西側60カ国以上がボイコットしても、結果、ソ連の態度は何も変わりませんでした。その後ソ連はアフガニスタンで泥沼の戦いに引きずり込まれ、財政が破綻し、国内には厭戦《えんせん》気分があふれ、ソ連崩壊の一つのきっかけにはなりましたが、それはオリンピックボイコットとは関係ない話です。

それでもあのときのボイコットは、世界中の人々の記憶の中に、「アフガニスタン侵攻」というソ連の無法を刻む「たがね」にはなったはずです。

中国のオリンピックに「選手団を派遣しない」という姿勢で臨むのは現実的ではな

いですが、少なくとも「円満に開催できた」という「成功」を今の中国政府に与えるべきではなかったでしょう。

私は、短期でクビになったBS放送番組の「クビになるきっかけとなった放送回」で、親を収容所に入れられているウイグル人青年の切実な訴えを聞いています。

私は彼の証言を人間として信用しています。

中国政府は国際社会の疑いを晴らしたかったら、西側取材陣に「強制収容所」を含むウイグル自治区を自由に取材させるだけでいいのです。それができないのには、できない理由があるのでしょう。

この状況に声を上げずに、異論なくオリンピックが開催されて中国政府の振る舞いが国際的に承認される事態になってはいけないのです。

少なくとも岸田政権には「国益」と「人権」を天秤に掛けることをしてほしくありません。今そこで「民族大虐殺」が起きている可能性に疑問の声を上げずに、私は人として生きている価値がないと思うのです。

「イカ」で最も稼いだのは誰か

古くは「ヨン様」から近年の「不時着」まで、韓国ドラマの系統はスルーしてきたんですが、航海から帰国して暇になり、大阪の家に籠っている時間を使って話題の「イカゲーム」を全部見てしまいました。

原作者本人が言っているように発想の原点は「カイジ」等日本のコミックでしょうが、内容はコミカルな部分もある「カイジ」と違ってあくまでもシリアスです。

ゲーム参加者が次々殺されるストーリーは日本の視聴者にとってはまさに「漫画的」ですが、韓国では軍艦に乗る兵士が突然の北朝鮮の魚雷攻撃で何十人も即死したり、北朝鮮から脱出しようとした人が国境線で同胞に射殺されたりなんてことが日常的に発生していますから、韓国の「銃器による射殺」は、決して漫画的で荒唐無稽な出来事じゃないってことですよね。

これは日本以外でも同様で、犯罪や紛争による死が身近にある国の国民にとってはそれなりのリアリティを持って受け止められているんでしょう。

世界的にこのドラマがヒットしたのはそんなところにも一因があるのかもしれません。

でも、このドラマが世界的に当たった主たる理由はハッキリしています。

それは、ネットフリックスやアマゾンプライムが構築した一瞬で世界の隅々までコンテンツを届けられるインフラの存在と、莫大な資本力を背景にした制作力です。

過去30年間日本の賃金が伸びなかったことについて、例えば「需要が〜」とか「高齢化が〜」とかさまざまな経済学的理由付けが行われていますが、もっと話は単純で、世界的に産業構造が転換している時期に、日本の既得権益の象徴である役所の規制や妨害によって新しい産業が育たず、「アップル」「マイクロソフト」「アマゾン」「ネットフリックス」に類する新興企業群が日本で生まれなかったことが最大の理由です。

日本でも2000年代の初頭にはホリエモン率いる新興企業などが台頭しかけたことがありましたが、**ホリエモンの場合本人のキャラクターの問題はあったにせよ、**この時期に既得権益層が寄ってたかって新興企業の芽を潰してしまったのです。

このときアメリカのように新興企業が台頭して、旧世代の企業と入れ替わっていれば、収益性の高い新興企業群が賃金上昇を引っ張っていたでしょう。

今また日本では、例えば乗り物分野一つとっても、自動運転車や空飛ぶ車、小さいところでは電動キックスケーターに至るまで「新しいもの」を潰そうとする力が強力に働いています。

そこそこの成長と大成長の狭間

イカゲームの9話連続ドラマの制作費は約24億円です。

アメリカの経済メディアの報道によると、ネットフリックスはこのドラマの世界的ヒットで1000億円くらい儲けたそうです。ドラマは50億円ほどの賞金を目指して参加者が殺し合いのゲームをする話ですが、結局最後に一番の富を得たのがネットフリックスというわけです。

日本のテレビ局が制作するドラマの制作費は1本数千万円ですから、「イカ」の1話当たりの製作費はそのおよそ10倍です。

最近日本でもドラマの制作をネットフリックスと組む試みが始まっていますが、**こ**

れによって放送局が著作権を持つ日本の慣習が崩壊するのかどうかが注目点です。

日本でも近年「鬼滅」に見られるように、放送局に著作権を持たさない動きが始まっていますが、それまではドラマにせよアニメにせよ、東京キー局を中心とする大手のテレビ局がすべての番組の著作権を持つのが当たり前とされてきました。

実はアメリカで第二次大戦後ハリウッドの映画産業が栄え、ハリウッドのあるアメリカ西海岸から新興企業群が誕生したのは偶然ではありません。

アメリカでテレビ局が急速に台頭し始めた第二次大戦後すぐに、アメリカ政府はテレビ局が番組著作権を所有することを禁じました。著作権を持てないテレビ局は自社で番組を制作することを放棄し、ニュース番組以外はハリウッドの映画業界に番組制作を委ねたのです。

テレビの登場で衰退しかけていたアメリカ映画界はこの政策で息を吹き返します。ドラマだけじゃなくバラエティ番組の多くもハリウッドのあるアメリカ西海岸で作られるようになり、この地が新興産業発祥のインキュベーター（卵をかえす機械）となっていく基礎を作ったのです。

著作権を持てるアメリカ西海岸の番組制作会社は、地上波テレビ以外の二次、三次利用を見越して番組制作ができますから、テレビ局が単体で番組を作るよりも多くの制作費を掛けることができるようになります。

アメリカのドラマが明らかに日本のドラマより質がいいのは、そもそも掛けられる費用が日本と全く違うのです。ネットフリックスの場合、販路が世界なわけですから、さらに莫大な費用を番組制作に投じることができます。

ネットフリックスは今からわずか25年ほど前に、オンラインで映画のソフトを販売する会社としてスタートしました。

ほぼ同じ頃にグーグルが誕生しています。

日本でそれより前にツタヤがレンタルビデオで成功していますが、これをオンラインでやろうと発想したわけですね。近年ツタヤは急速にレンタルビデオ業から撤退し始めていて、店舗の業態も本やグッズの販売に急転換していますが、アメリカでツタヤと同種の商売をしていた「ブロックバスター」などはとっくの昔に市場から退場しています。

アメリカではすでにレンタルビデオ屋どころか、ＣＤを扱う「レコード店」すらほぼ消滅しています。日本ではまだ「レコード屋」さん、ありますよね。日本の産業構造の転換が遅いのがよくわかります。

30年前、世界第2の経済大国としてアジアで断トツ1位の賃金水準を誇った日本ですが、**今や1人あたりの賃金で、シンガポール、台湾、韓国に抜かれ、かつて「低開発国」と呼ばれた東南アジアの国々にも迫られる事態になっています。**

コロナ前にアジア最貧国であるラオスを訪れたところ、首都ビエンチャンのショッピングセンターのフードコートでは電子マネーしか使えませんでした。

日本から持ち込んだSIMフリーのスマホは、空港で5ドルほどで買ったSIMカードを挿入すると、相当な田舎に行っても簡単にネットにつながりました。

「イカゲーム」はインドの田舎で爆発的にヒットしています。

なぜ日本の「カイジ」は「イカ」になれなかったのか？

なぜホリエモンはアマゾン創始者ベゾスになれなかったのか？

ホリエモンの場合キャラクターに難があったからかもしれませんが、同様に既得権に潰された人は日本に大勢いるはずです。

楽天の創始者三木谷《みきたに》氏のように、既得権と折り合いを付けながらそこそこ成長できた人は、ほんの一握りです。

この日本の現状を変えるには、日本の政治を変えるしかありません。

ん～、すぐに総理大臣になれるなら立候補するんだけどなあ。

陣笠議員じゃ世の中変えられないからなあ……。

中国自動車メーカーの襲来

ホンダのスーパーカブが納車されて以来、東京のニッポン放送に向かうのに、雨が降っていない限り、伊丹空港まで原付で通っています。

私が買った「スーパーカブ１１０」はエンジンが１１０ＣＣで、50ＣＣエンジンのスーパーカブに比べてエンジン出力が倍以上あります。車両重量は50ＣＣが96キロ、１１０ＣＣが１０１キロと大して変わりません。スーパーカブって、そこそこ重いんです。

重さがほぼ同じで馬力が倍以上ありますから、私のスーパーカブはよく走ります。前に乗っていた「ベスパ１００」で大阪の中央環状線を走るとものすごく怖かったんですが、「スーパーカブ１１０」だと全く怖くありません。車の流れに楽々乗れるからです。

大阪の中央環状線の制限速度は60キロですが、流れに乗るためには時速70キロが必要です。時速80キロを超えて、並走する中国自動車道を走る車と同じくらいの速度になると、必ずパトカーに捕まりますから、大阪中央環状線を走る車はみんな70キロ前後で走っています。

前に乗っていたベスパでは70キロ出すと車体が分解しそうになるくらい振動して、とても怖くてこの速度が出せなかったんですが、スーパーカブはたぶん時速100キロくらいまで普通に出そうです。でも私のスーパーカブは原付二種ですから高速道路は走れません。100キロの軽い車体で高速を走るのはさすがに怖いでしょう。

久々に原付で街を走るようになって気になるのが、排ガスです。

昔はそんなことほとんど気にならなかったんですが、世の中の車の排気ガスが綺麗になるにしたがって、逆に真っ黒な排ガスを出しているバスなどの後ろを走ると、「勘弁してよ」という気持ちになります。

排ガスで思い出すのはインドです。私が初めてインドに行った1980年代、インドの大気汚染はエライことになっていました。

外貨不足のために国産品が推奨され、当時インドでは外国車の輸入ができない状態で、極めて性能が低いインドの国産車が街にあふれていました。

この車、とにかく排気ガスの汚染度が酷くて、インドの都市部で一日空気を吸っているだけで病気になりそうでした。

ところがその後、インドに日本の軽自動車の雄であるスズキが進出して、インドの空気は相当綺麗になりました。コロナの直前に30年ぶりにコルカタを訪れて、「インドの空気は変わった」と実感しました。空気以外はあんまり変わってませんでしたけどね。

強いて言うなら、伝統のチャイの器が素焼きの陶器から、プラコップに代わっていたことくらいでしょうか。街に捨てられた空のプラコップがあふれてインドの街は大変なことになっていました。

インドでは飲み終わったチャイの器は地面に投げ捨てるのが伝統の習慣です。素焼きの陶器なら大地に還るのに、プラコップはいつまでもなくなりません。

ちなみに現在、イギリス王室御用達のランドローバー社はインド資本の傘下にあります。またイギリスのスナク新首相はインドルーツのヒンドゥー教徒です。英国の白人がこの事態をどう受け止めているのか、近々現地に行って確かめてみるつもりです。

世界は急速に変わりつつあるのです。

原付に乗って街を走るようになり、排気ガスが気になって気がついたのですが、京都の市バスの中には全く排気ガスを出さない車両があります。電気自動車バスです。

このバスを作っているのが中国のＢＹＤという自動車会社です。なんだかパンツの会社みたいな名前ですよね。誰か「それはＢＶＤだ！」って突っ込んでください。

ダジャレはともかく、日本にはいまだ電気自動車のバスを作っているメーカーがなく、今まで日本国内で納入された電気バスのほとんどが中国製です。そのうちの７割をＢＹＤが作っています。

この状況は日本車の将来を考えるとマズイですよ。

エネルギー貯蔵庫としての電気自動車

なんでそんなことになったのかと言うと、トヨタ系のバスメーカーは燃料電池車（水素バス）を普及させようと、東京都などの金持ち自治体に、１台１億円もする燃料電池車を売りつけてきましたが、そんなもの普及するはずがありません。

燃料電池車と電気自動車ではコストが全く違います。

あらゆる観点から燃料電池車に経済的メリットはなく、勝ち目がないのはずいぶん前にわかっていた話です。これは原発に通じる話でもありますが、また別の機会に。

とにかくトヨタなどは、燃料電池車とハイブリッドにこだわって完全に道を誤ったわけです。

ＢＹＤが日本に上陸したのは２００５年、今まではバスやフォークリフトなど、一般の人がなかなか運転しないものしか日本に入れていなかったんですが、ついに２０２３年、日本市場に乗用車を引っ提げて上陸します。

これは黒船並みのインパクトを日本にもたらすのか？　というのがメインテーマです。

ＢＹＤは中国最大の電気自動車メーカーで、年間出荷台数が60万台を超えています。トヨタやフォルクスワーゲンの年間生産台数は１０００万台前後ありますから、それに比べると60万台は小さな数字ですが、電気自動車だけでこの数字は凄いです。

日本では、電気自動車の販売比率は１％以下ですが、欧州の国の中には、すでに新車販売の過半数が電気自動車という国もあります。世界で初めて内燃機関の自動車を開発したベンツでさえ今後10年以内にすべての新車を電気自動車にすることを打ち出しています。

排気ガスを全く出さないメリットはもちろんありますが、それと同時に電気自動車が未来のエネルギーのキープレイヤーだと世界は気がつき始めてるんですね。**家庭に1台電気自動車があるということは、各家庭が巨大なエネルギー貯蔵庫を持つというのと同じです。**

私が試乗したＢＹＤが２０２３年に発売するＡＴＴＯ３に搭載されている蓄電池容量は58・56キロワットです。キロは１０００という意味ですから、58・56キロワットは５万８５６０ワットの蓄電池というわけです。

１００ワットの裸電球なら……あ、このたとえ昭和ですね。イマドキ１００ワットの裸電球なんて電器屋にもめったに存在しません。でも計算が便利なんで勘弁してください。

１００ワットの裸電球なら、５８５６０÷１００で５８５時間点灯できます。１キロワット時のエアコンでも58時間連続使用が可能です。

最近急激に売れている軽自動車規格の電気自動車・日産「サクラ」に搭載されてい

る蓄電池容量は20キロワットですが、この小さな自動車の蓄電池でも、1キロワット時のエアコンを20時間連続して使える計算です。

電気自動車1台が保存できるエネルギーは、災害時など家庭への電力供給が止まった場合、エアコンを連続使用するような無茶な使い方をしない限り、1週間程度は家庭のすべての電気を賄えるわけです。

電気自動車が各家庭に普及するということは、「電気は貯めておけない」という古い概念を根底から覆す歴史的インパクトがあるのです。

日本の原発復活をもくろむ勢力が太陽光と並んで電気自動車を毛嫌いするのは、「電気は貯めておけない。だからベースを支える原発の電気が必要なのだ」というレトリックの障害になるからです。

しかし、世界は変わりつつあります。ガソリンスタンドが急速になくなりつつある地方では、家庭のコンセントで充電できて災害時の電力確保もできる電気自動車に確実な需要が生まれています。

日産サクラと三菱のｅＫクロスＥＶがバカ売れしているのはそのためです。

ＢＹＤのＳＵＶタイプの電気自動車で都内を1時間弱走って、その実用性に驚きました。

実際に乗ったのは40分余りですが、降車の際の電力量は80％を大きく超えていました。メーター表示を信じるなら、降車の時点でまだ４００キロほど走れるようです。

一昔前の電気自動車とは蓄電池の性能も、エネルギー効率も全く違っています。乗り心地は、私は自動車の専門家でないのでよくわかりませんが、「サスペンションのセッティングがアメ車よりドイツ車に近いかな」という印象は持ちました。

２０２２年夏にハワイでレンタカーのアメ車に乗って、「やっぱりアメ車のサスペンションはフニャフニャだなあ」と思いましたが、ＢＹＤのＳＵＶ車にはそんな感じは全くなかったです。

一方、室内の装飾などは過剰な感じがしました。そのあたりはYouTubeチャンネル「辛坊の旅」で公開している画像をチェックしてみてください。

韓国車と同じ轍は踏まない

ＢＹＤの電気自動車は日本で普及するのか？

自動車は他の商品と違って、販売にはイメージとメンテナンスがとても大切です。**日本で今まで韓国車が全く成功しなかったのは、この二つが決定的に欠けていたからです。**

メンテナンスで最も大切なのは、生活圏に販売店があるということです。

故障したときに電話一本で駆け付けてくれる販売員がいるというのが車の販売ではとても大切です。ヨーロッパ車などは、このメンテナンス性は低いけれど、イメージが素晴らしくて売れることはあります。

ところが韓国車を「イメージだけで買う」という人は少ないですから、必然的にメンテナンス性がないと売れません。ところが新規に日本に進出しても、メンテナンスを担う販売店網がないので売れるはずがないわけです。

中国車も同じ運命を辿る可能性はあります。

ところがＢＹＤは、２０２３年の日本での販売開始に際して、まず１００店舗ほどの国内販売網を整備する計画を立てています。

一から１００店舗の販売網を自社資本で作るのは、いくら金持ちの中国メーカーでも難しいでしょうから、とりあえずは、日本全国の独立系のディーラーを押さえることになるでしょう。

全国の独立系のディーラーの中には、現在国産の有名ブランドを扱っているものの、国内有名メーカーの横柄な態度に辟易としているところもあり、そんなディーラーが中国資本の傘下に「アッと」言う間に組み込まれてしまう可能性はあります。

ＢＹＤが２０２３年1月に日本に上陸させる車の名前は「アット」ですからね。誰か突っ込んでください。

２０２３年に日本に上陸する中国の電気自動車が日本で成功するかどうか？

実はこの鍵を握っているのは、今まで日本の大手自動車メーカーが、地方の販売店をどれほど大切にしていたかに、かかっているのです。

もう一つ電気自動車に関して大きなニュースがあります。

日本円に換算して50万円ほどで電気自動車を販売している中国メーカーが、２０２３年に日本の型式証明を取得して、日本で60万円台で電気自動車を販売する計画を立てているようです。

おそらく「60万円台」というのは、日本のさまざまな補助金を使うことを前提にし

2022年7月21日、中国の電気自動車大手の比亜迪（BYD）が2023年の日本発売を発表した乗用車3車種。（写真／時事）

た値段だと思いますが、日本の軽自動車の価格が軒並み200万円近くなった今、中国の電気自動車は、日本経済の柱である自動車産業にとって、黒船になってしまうかもしれません。

日本のメーカーさん、今こそ本気出しましょう。

絶対権力

「権力は腐敗する。絶対権力は絶対に腐敗する」

これは19世紀のイギリスの歴史学者ジョン・アクトン男爵の言葉で、日本では戦後長らく、左派系の文化人が自民党の長期政権を批判するために使ってきました。

でもねえ、「本物の絶対権力」である共産主義政権や、ロシアのように現在は共産政権でないものの共産政権の体質を受け継いだ政権の腐敗ぶりに比べると、自民党の長期政権がとても「絶対権力」なんて呼べるものじゃなかったとわかります。

それは「腐敗」のバロメーターとなる「汚職」の金額でもわかるのです。

自民党政権下で摘発された最大金額の汚職は、民間航空会社の機種選定に絡んでロッキード社から5億円の賄賂を受け取ったとして起訴された田中角栄《たなかかくえい》と、東京佐川急便から5億円を受け取った金丸信《かねまるしん》のケースです。

田中角栄は本人が罪を認めずに長期裁判になり、裁判の途中で死んでしまいましたが、金丸信のケースは略式起訴で罰金を払い、一瞬にして事件は終結しました。

「略式起訴」というのは、起訴された本人が罪状を認めたケースにしか適用されませんから、5億の金を受け取ったのは本人も認める事実です。

これに対して中国の賄賂はケタ違いです。中国で数十億円クラスの贈収賄は日常茶飯事ですが、摘発された最高額は摘発当時の日本円に換算して273億円です。

しかしこれは、習近平《しゅうきんぺい》政権による政敵潰しの色彩が濃いですから、現在の最高権力者である習近平に連なる人々の腐敗ぶりは、単に摘発されないから見えないだけで、さらに酷いことになっているのは容易に想像がつきます。

一党独裁がもたらす腐敗

ロシアはもっと桁外れです。贈収賄として刑事事件になっているわけじゃありませんが、プーチンに連なる「政商」の資産を考えると、政権の腐敗ぶりがとんでもないことになっているのがわかります。

プーチンの周りには「超」の付く大金持ちが10人前後いますが、中には資産総額が優に1兆円を超えている者もいます。ロシアとウクライナの間に入って調停を企てたことを理由にプーチンの恨みを買って「毒殺されかかった」と言われているアブラモビッチが持っている「クルーザー」の評価額は、2隻で1000億円を超えています。このクルーザー、ミサイル防衛システムを積んでいるそうです。

個人が持っている船に、「重火器」どころか「国家が保有する性能の兵器」であるミサイル防衛システムを積むことが許可される国って、「異常」を通り越していますよね。

アメリカのB級映画には、「大型クルーザーに乗って、機関銃で武装したボディガードに囲まれたロシアの大金持ちの悪者」がたびたび登場しますが、実態はフィクションを超えています。

1991年のソ連崩壊まで、形式的にはロシアに「大金持ち」は存在しなかったことになっていますから、プーチンを囲む大金持ちたちは過去30年ほどの間に一気に「兆円」の金を手にしたことになります。

賄賂云々というより、本来なら国庫に入るべき金が個人に流れたと考えるべきでしょう。腐敗の極致としか言いようがありません。

共産圏や、共産圏の空気を引きずる国々で、なぜこれほど酷い腐敗が生じるのか?

それは、一党独裁という、共産主義システムに起因する必然の結果と言えます。

いまだに団塊世代を中心に、共産主義にシンパシーを抱く多くの日本人は、共産主義に対して「平等」などの幻想を抱いているようで、マスコミ報道やネットの書き込みなどを見ていても、ロシアを擁護したり、アメリカ批判や安倍政治批判という全くお門違いの方向に議論を持っていこうとしたりと、共産主義そのものに批判の目がいかないように必死に工作している人が大勢いるようです。

それくらい戦後日本の共産主義幻想は酷いものだったのです。

でも多くの「まともな人」が青春時代に「共産主義」にあこがれるのは正常な反応かもしれません。不平等というのは人類の宿痾《しゅくあ》みたいなもんですから、人為的に「平等」を地上に作り出せるシステムがあるなら、それを応援したいと考えるのは正常な思考です。


でもね、残念ながら共産主義というシステムが決して地上に「平等」をもたらすものじゃないことは、ある程度社会経験を積むとわかってきます。

私は大学3年生のときに東欧を旅して、共産主義の実態を直接体験することで完全に目が覚めました。

ある意味あこがれを持って到着したブルガリアの首都ソフィアの人々の倦怠感、人間性の喪失、感情を失った顔、物質的破綻などを直接見ることで、「共産主義は人類を幸せにしない」と確信したのです。

共産主義幻想の中に閉じ込められている人々を目にすると心から気の毒に思います。**多くの場合、その人々って、「共産主義を信じている」点を除けば、「本当にいい人」が多いですからね。**

現実の共産主義国では、共産党の一党独裁を守るために異論を徹底的に排除する必要が生じます。異論そのものが生じないように言論は統一されて、異論は暴力で封じ込められます。身内から異論が出るとシステムに齟齬《そご》が生じますから、会議では全員一致が強制されます。こうして絶対権力が維持され、その権力の周りに群がる人だけがさまざまな恩恵を手にすることになるのです。

これが世界の共産主義国で起きている現実です。

自由な言論そのものが組織的に封じられていますから、**権力がどんなに腐敗しても、それは国民の目や耳には届きません。**この体制の下では、権力はどんな嘘でもつくことができます。また、国民の監視を失った権力は、暴力すら自由に使うことができてしまいます。

ロシアによるウクライナ侵攻、さらにはキーウ近郊等で起きているロシア軍によるウクライナ住民の大虐殺は、絶対権力下で必然的に起きる現象なのです。この大虐殺についてロシアは完全否定していますが、この否定自体、体制から生まれる嘘と言えます。

とにかく今は、あふれる情報の中で、情報の質を一つ一つ確かめることが大切です。世の中にはさまざまな背景や思惑から、世論誘導を狙った誤情報を発信する人がいます。**大切なのは、「ロシアが国境を越えてウクライナ領内に軍隊を送り込んだ。今起きていることはすべて、その結果である」という視点を失わないことです。**

これをしっかりと押さえている限り、妙な世論誘導に引っかかることはありません。

ロレックス・マラソン

「ロレックス・マラソン」という言葉を知っていますか？

私は知ってはいたものの、実際にどんなものか試してやろうと、ある日、銀座シックスのロレックスと、阪急梅田本店のロレックスを複数回訪ねてみました。

ロレックスは言わずと知れたスイスの高級時計ブランドです。最近はＨＵＢＬＯＴ等に代表される新興人気ブランドもほかにたくさんありますが、それらの新興ブランドのほとんどが「ＬＶＭＨ（モエ・ヘネシー・ルイ・ヴィトン）」という巨大ブランドの傘下に併合されてしまった今、ロレックスが独立を保っているのはさすがです。何せアメリカのティファニーですら、ＬＶＭＨの軍門に降《くだ》ってしまいましたからね。

私は中学生の頃「セイコー5スポーツ」という国産時計を親に買ってもらい、例えば英語検定などの学校外の試験の際にタイムキープの道具として持っていっていました。

その際、金持ちの友人から「辛坊はロレックスじゃないのか?」と言われたのが記憶の片隅に残っていて、「いつかはロレックス」と思っていたのですが、今から20年くらい前に、有楽町のビックカメラで40万円くらいのロレックス「GMTマスターⅡ」という時計に出会い、衝動買いしてしまいました。

それまではアポロの宇宙飛行士が使っていたので有名な「オメガ・スピードマスター」を常用していました。

これは純粋に実用品です。アナウンサーの仕事の中には「ストレートニュースを読む」というものがあり、読売テレビの場合、アナウンサー全員が輪番でこの仕事にあたっていました。

ニュース原稿の基本は「1ネタ1分」なんですが、放送時間内に入れるためにストレートニュースに下読みは欠かせません。下読みで時間を計り、放送枠に合わせて原稿を切ったり伸ばしたりするわけです。

同じ原稿でも読み手によって尺が変わってきますから、この作業はストレートニュースには必ず必要なんです。このため、アナウンサーは必ずストップウォッチを持っているのですが、オメガのスピードマスター等のストップウォッチ付き時計はこの作業に使えてとても便利なんです。

実はGMTを買うときに、ストップウォッチ機能の付いた「デイトナ」というシリーズを買いたかったんですが、今から20年前でも「デイトナ」と、ロレックスのスポーツモデル最廉価版である「エクスプローラー」というシリーズだけは別格の人気を誇っていて、入手困難だったんです。

それでGMTを買ったのですが、ゼンマイ式のアナログ時計なのに、二つのタイムゾーンの表示ができるこの時計は、頻繁に海外に行くのにとても便利でした。

ロレックスには、金やプラチナ、ダイヤモンドなどを豊富に使った「村会議員仕様」(私の命名です。すみません)シリーズとは別に、ステンレススチール等のケースに入った「スポーツモデル」というシリーズがあり、人気が沸騰しているのがこちらです。

「デイトナ」、「ダイバーズ」「ヨットマスター」「GMT」などがこの代表格ですが、20年前、「デイトナ」「エクスプローラー」以外は、**大手の家電量販店などで普通に並行輸入品が日本の定価より安く買えました**。ところが今は絶対に無理です。

実は就職して5年ほどになるウチの「お嬢様」の大学卒業祝いに私がロレックスを贈ろうとしたのですが、このときカミさんに「そんな贅沢させちゃダメ」と言われたので、国産時計をプレゼントしました。

その後3年前に「バカ息子その1」が就職した際にはロレックスの品薄感が強まっていたので、カミさんに「ロレックスは中国人需要で品薄になっているから、この機会に買っておいてもいいんじゃない？」と説得して、「村会議員仕様」を梅田の阪急百貨店のロレックス直営店で買いました。

このときにはすでにスポーツモデルは店頭から絶滅していましたが、「村会議員仕様」はショーケースにたくさん並んでいました。というワケで、ロレックス事情には元々ちょっと詳しかったのですが、「ロレックス・マラソン」という言葉を耳にしたきっかけで、久しぶりにロレックスの店頭に行きました。

嗜好品で気づくインフレ

ハッキリ言って腹が立ちました。

まず入り口で順番待ちをさせられます。

一応「コロナ対策」ということになっていますが、それ以上に「人数制限」という色合いが濃いです。順番が来て店内に案内されると、係の人がそばに立って「ご用件は？」と聞きます。

「時計屋に大根買いに来るかよ！」

と言ってやりたかったのですが、

「ヨットマスターを探しています。スポーツモデルは何かありますか？」

と聞いてみました。

店員は慇懃《いんぎん》に「わかりました。確認して参りますので、ちょっとお待ちください」と言って店の奥に消えます。店内には、「非売品のサンプル時計」が並んでいますが、売り物はありません。数分後に最初に応対した店員が店の奥から現れ、心から申し訳ないと思っている素振りで「申し訳ございません。今在庫がありません」と言います。

「予約できますか？」

と聞くと、

「予約はお受けしておりません」

との答えです。

「店頭に入荷することはそもそもあるんですか？」

と私。

「月に数本は入ってきます。お客様がお店にいらっしゃった際にあれば、お求めいただけます」

との返事です。


後日再び行ってみました。その際に応対したのは別の店員でしたが、全く同じプロセスを辿りました。また他日、仕事終わりの夕方に行ってみました。このときも別の店員でしたが、全く同じ対応でした。

ただちょっと違ったのは、店の奥に引っ込む時間が少し短く、「在庫がありません」の言葉がかなり機械的になっていたことです。

どうやらロレックスの店員は在庫がないのがわかっていて、一日中「裏に引っ込んで在庫を確認するふりをする」という動作を繰り返しているようで、一日の終わりに近づくとだんだん面倒くさくなるんだと思います。店員もなんだか可哀そうです。

ロレックスを買いたい人は今、毎日ロレックスの店舗を訪れてこのプロセスを繰り返しています。これを「ロレックス・マラソン」と呼ぶのです。

万一、店員が「あります」と言ったら超ラッキーです。買うだけのお金がある場合、あるいはその場で借金できる場合には、買うのが正解です。買ってすぐにロレックスの買い取り専門店に持っていけば数十万円の利益が出ます。

何せ私が20年前に40万円ほどで買ったロレックスが、現在２００万円前後で取引されていますからね。

値段が上がっているのはロレックスだけじゃありません。シドニーオリンピックの女子マラソンで金メダルを取った高橋尚子《たかはしなおこ》さんが国民栄誉賞の賞品でもらったパテック フィリップ社のアクアノートという時計は当時98万円でしたが、先日銀座で確認したら９８０万円になっていました。

最近バイクファンの方からメールをもらったんですが、20年前に１２０万円だったハーレーのバイクの定価が現在１９０万円に変更されているそうです。

金（ゴールド）に至っては、20年前の8倍に値段が上がっています。金の場合、ドルでも4倍ぐらいの値段になっています。これはリーマンショック後の景気対策等のためにドルを大量に刷った結果ドルの価値が落ちて起きたことが原因ですが、ドルに関しては、金利を上げるという通貨価値を上げる対策が始まっています。ところが円の価値を上げる対策をすると、国家経済全体が崩壊する可能性があってそれができないのです。

今、日本人が持つ円の金融資産は、金（ゴールド）に換算すると20年前の8分の1に下落しています。逆に言うとどんでもないインフレが起きているということです。**残念ながら日本の経済統計はこの現実を正確に反映していません**し、副作用が大きすぎるために欧米のように通貨価値を上げる有効な対策が打てないでいます。

こうしている間にも皆さんの円資産はどんどん劣化していっています。だから今、外国の高級ブランド品を買いたい人が店を巡る「マラソン」しなくちゃいけない事態になっているのです。

久しぶりに海外に出た日本人は、この厳しい現実を思い知ることになるでしょう。

ＤＮＡ解析がもたらす不安

２０２２年のノーベル生理学・医学賞は、私が長年抱き続けてきた危惧を、改めて再認識させるものになりました。

それは人種、民族間におけるさまざまな能力の差が、ＤＮＡという遺伝情報で明示される恐ろしい未来の到来です。

今まで、この分野に挑んだ学者の中には「差別者」のレッテルを貼られて学会を追放された人が数多くいますが、今回、そんな「差別」につながりかねない機微な研究がノーベル賞を受賞したことに私は驚きました。

今回ノーベル生理学・医学賞を受賞したのは、ドイツのマックス・プランク進化人類学研究所のスバンテ・ペーボ教授です。

この人は、世界中で発掘された古代人の人骨をＤＮＡ解析し、現代人が、絶滅した古代人であるネアンデルタール人と交雑していて、ネアンデルタール人の遺伝子を受け継いでいることを論証しました。

我々ホモサピエンスと言われる現生人類が15万年ほど前にアフリカで誕生したのはよく知られています。見かけは大きく違いますが、アフリカの黒人も、我々アジア人も、北欧の白人も皆、アフリカの共通の祖先をルーツに持っています。

我々の細胞の中にはミトコンドリアという、細胞にエネルギーを送り込む組織があります。この組織は卵子や精子の中にもあるんですが、なぜか受精のときに精子由来のミトコンドリアは排除されてしまい、卵子の中のミトコンドリアを使って細胞は分裂を繰り返し、やがてヒトという個体になります。

つまりすべての人は性別に関係なく母親のミトコンドリアだけを受け継ぐわけです。

このミトコンドリアを辿っていくと祖先がわかります。世界中の人類はすべて同じミトコンドリアを持っているわけですが、**ミトコンドリアはゆっくり変異しますから、この変異の大きさの度合いで、先祖の近さ、遠さがわかります**。この小さな遺伝子の差異で親子関係などの特定を行えますが、基本、すべての人類は同じルーツのミトコンドリアを持っているのです。

こうして研究した結果、すべての人類が、15万年ほど前にいたアフリカの女性に行きつくことがわかりました。

アフリカで誕生したホモサピエンスは、6万年ほど前にアフリカ北部で陸続きのユーラシア大陸に移り住んでいきます。ノーベル賞を受賞したスバンテ・ペーボ教授の研究によると、ホモサピエンスより先に、ユーラシア大陸にはネアンデルタール人等、ホモサピエンスとは違う人類が住んでいて、ここでホモサピエンスとネアンデルタール人等との交雑が始まります。早い話性交したわけですね。

研究によると、ホモサピエンスの男性がネアンデルタールの女性と性交するケースが多かったとされています。こうして誕生し、ヨーロッパに移り住んだ人種が、我々が今、「欧米人」と認識している人々です。

一方、ユーラシア大陸を東に進んだホモサピエンスは、ネアンデルタール人だけでなく、どうやら別の古代人（デニソワ人などと呼ばれています）と性交を繰り返して別の人種を生み出しました。これがアジア人の祖先になったとされています。

中国の主民族である漢民族はもとより、ポリネシア人などはデニソワ人由来の遺伝子をかなり多く受け継いでいるそうです。

私が高校生のとき、ゴリラによく似た先生がいて、「ピテカントロプス」とか「ネアンデルタール」とかあだ名されていましたが、「ネアンデルタール人」は長年、欧米キリスト社会によって「サルに近い劣った生き物」と扱われてきました。

ところが最近の研究では、ネアンデルタール人の脳容量はホモサピエンスより大きく、船を使って長距離航海等もしていたのではないかという説が出ています。

ただ骨格化石から、ネアンデルタール人は現代欧米人より少し身長が低く、手足も短かったようです。なぜネアンデルタールが絶滅してホモサピエンスに取って代わられたのかは、謎とされています。

学者は誰もそんなこと言ってませんが、私は、力の強かったホモサピエンスに繊細なネアンデルタール人が皆殺しにされてしまったのかもしれないと考えています。

この最後の一行については、学術的根拠はゼロですから、お間違いなく。

格差は運動能力にとどまるか

ここに書いたのは、最後の一行はともかく、今回ノーベル生理学・医学賞を受賞したスバンテ・ペーボ教授らの研究が明らかにしたことです。

つまり、現代の世界中の人々の遺伝子は、ＤＮＡレベルで見たときに相当違っているということです。このＤＮＡレベルの違いが、肌の色や体格だけにとどまるはずはなく、当然、運動能力など他のさまざまな能力に人種的差異をもたらしているのは間違いないでしょう。

これを突き詰めると、同じ人種間でも、個々のＤＮＡを調べることで、潜在、あるいは顕在している能力の差をデータ化できてしまうのです。

これって恐ろしくないですか。

私は最近オリンピック等の、個人の能力がハッキリと示される国際的運動競技会を楽しめなくなってしまいました。

考えすぎと言われればその通りなんですが、例えばオリンピックの１００メートル走の決勝のスタートラインに立つのは、ほぼ１００％、アフリカの黒人のＤＮＡを有する人たちです。

もちろん、ホモサピエンスがアフリカで誕生して以降、一度もアフリカ外の人種と交雑していない純血の黒人は現代ではそんなに多くないはずですが、現代のアジア人のＤＮＡではオリンピックの１００メートル走で勝負にならないですよね。

例えば私が子供の頃からすべての運動環境に恵まれて特訓を重ねたとしても、私の脚の長さでは絶対に１００メートルを10秒以下で走ることはできません。

ネアンデルタール人は、ホモサピエンスに比べて手足が短く、平均身長も１６５センチ程度だったことが知られています。

私、ほぼネアンデルタール体形です。ネアンデルタール人より少し身長が高いのは、たぶん生活環境のせいでしょう。

オリンピックって、今までは環境因子が大きかったのでそんなに問題視されなかったわけですが、これから世界が豊かになって、世界中から環境因子が取り除かれる時代が来たら、競技によっては「特定のＤＮＡを持つ人種しか勝ち目がない」という時代が来るでしょう。

つまり下手をするとオリンピックが、「人種間の運動能力差を顕在化させる場」になってしまわないかと危惧するんです。

そして、「人種間の能力差は運動能力の分野だけにとどまらないのでは？」と世界中が認識し始めたら世界はどうなるのか？

私は、これが恐ろしいのです。

第4章

社会とメディアを考える

日本が迎えるデジタル敗戦

2022年2月11日、北京オリンピックのスノーボード・ハーフパイプ競技を見ていたときに、平野歩夢選手の金メダルの演技を見逃した人は相当数いるでしょう。かく言う私も、その一人です。

この日、正午のニュース前の天気予報が始まる時間と、平野選手の滑走の時間がちょうど重なったんです。ハーフパイプの放送権を持っていたNHKは、それまで総合チャンネルで競技を放送していたんですが、平野選手がスタート地点に着いたそのタイミングで画面を「サブチャンネル切り替え方法のご案内」の動画に切り替えました。

私は「スタートまでに案内が終わるように時間計算したんだな」と考え、高齢者でもわかるような動画が放送されるのか確かめようと、そのまま案内を見続けました。

サブチャンネルへの切り替え方は、大きく3つあるんですが、一番簡単なやり方はリモコンのチャンネルボタンの上向きの矢印を押すことです。案内動画がこの段階まで進んだタイミングで、私は多くの視聴者と同じように上向きの矢印を押しました。

その瞬間、粗いサブチャンネルの画面に映っていたのは、滑走を終えて息を切らす平野選手だったんです。私は声も出ませんでした。私は、これは大放送事故だと考えています。

だって、一番肝心な時間帯にＮＨＫはチャンネルの切り替え方の動画を放送していたんです。そんなビデオを放送する時間があるなら、そのまま放送を続けていれば誰も歴史的瞬間を見逃さずに済んだわけです。もう無茶苦茶です。

テレビでも起こったガラパゴス化

なぜこんなことが起きたのか？

私は、現場の編成担当者、番組プロデューサーの怠慢という当日の責任者は別にして、ＮＨＫの、いや**日本の構造的問題がある**と思うのです。

日本のデジタルテレビの規格を開発したのはＮＨＫの放送技術研究所です。

もちろんこれが最終的に日本のテレビ規格として採用されるには、旧郵政省、現総務省の役人や与党政治家が深く関わっていたわけですが、技術の根幹を作ったのはＮ

HKです。

ほとんどの皆さんは意識をしていないと思いますが、日本の地上波テレビのデジタル化は、世界の先進国の中では大きく遅れました。デジタル放送の開始はアメリカ・イギリスに比べて5年も遅く、韓国より2年遅かったんです。

役所や政治家の怠慢はもちろん大問題ですが、**日本ではNHKが世界に先駆けて開発したアナログハイビジョンが浸透していたために、デジタル化が遅れたんです。**

NHKは自社が開発したアナログハイビジョンを世界標準にしようとしていたんですが、時代遅れのアナログ技術を次世代テレビに採用する国が出るはずもなく、世界の先進国がデジタルテレビに舵を切ったタイミングで日本は舵を切れなかったんですね。

日本の携帯電話がガラパゴス化したのと同じ頃、テレビの規格に関して全く同じことが起きていたのです。

NHKと日本の役所がアナログハイビジョンに固執しているとき、世界の先進国は一斉にデジタル方式の次世代テレビに舵を切りました。その結果、世界にデジタルテレビの方式が4つ生まれます。アメリカ方式、ヨーロッパ方式、日本方式、そして中国方式です。

現在北米はアメリカ方式、中国を除くユーラシア大陸の大半がヨーロッパ方式、日本とフィリピン、中南米が日本方式、中国が中国方式になっています。

ＮＨＫと日本政府は日本方式を世界に広げようとしたんですが、多額の国際援助をバックに中南米で普及させることが精一杯でした。

日本の電機メーカーが韓国メーカーに敗れていくのもこの時代です。次世代デジタルテレビ戦争で後れを取った日本政府の判断が、日本の電機メーカーの将来を暗くしたのは間違いない事実です。

私がバックパッカーとして世界を回っていた１９７０年代〜90年代、世界中のホテルのテレビは日本製でした。今、世界のホテルのテレビは韓国製一色になっています。ちなみにアフリカの大半は現在アナログ放送が継続中で古い日本のテレビも使われていますが、下手をするとアフリカ諸国で今後中国のデジタルテレビ方式が採用されて、ホテルのテレビは中国製一色になるかもしれません。これが世界の現状です。

世界的な普及に失敗した日本のデジタル方式ですが、他の方式にはない優れた点もあります。例えば、携帯電話向けのワンセグ放送もその一つです。移動しながら携帯電話でテレビが見られるのは登場当時とても便利な機能でした。

でもガラケーそのものが消滅しつつある今、このメリットはほとんど意味をなしません。ＮＨＫの技術者は、スマホの電波で動画が見られる時代の到来を予想できなかったんですね。

専門家の数だけ「善」がある

もう一つ日本方式の大きなメリットは「マルチチャンネル放送」です。

日本のデジタルテレビ方式は、1チャンネルの高精細テレビに使う電波を3分割して、一つのチャンネルで三つの違う番組（アナログ程度の画質）を放送できる機能を持っているんです。

デジタル地上波テレビが始まった頃、民放でも、この機能を使って複数の番組を同時に放送する実験などが行われました。でも現在はほぼ消滅状態です。

だって、24時間の番組を埋めるのに四苦八苦している状態なのに、3チャンネル、つまり1日で24時間×3＝72時間も番組なんか作れません。作れたとしても、すべての番組にスポンサーが付かないと放送する意味もありません。さらに高精細放送を前提にCM料を払っているスポンサーにしてみたら、自分の提供番組の画質がアナログテレビ並みに下がるのは許せない話です。

かくして「マルチチャンネル」は民放では「使えるけど使わない」状態になり、これに固執するのは、技術開発したNHKだけになりました。今回の平野歩夢選手に関する大放送事故は、こうして発生したのです。

「こんなこともできる」と考える技術者の思いが、間違った形で結実したわけですね。他のデジタルテレビ方式のようにマルチチャンネル放送ができなければ、そのまま平野歩夢選手の滑走が終わるまで高精細の放送を続け、数分遅らせて天気予報とニュースを放送すればよかっただけの話ですからね。

実は、すべての科学技術について、同じようなことが日常的に起こっています。技術者や科学者は、自分たちができる最高の科学技術を「善」と考えます。しかしそれは時として、その分野の専門家以外には「善」でないことはたくさんあるんです。

核兵器はその究極の形ですよね。

ただ私は核兵器について、第二次大戦後、大規模な戦闘を回避し平和を維持する「脅迫ツール」として機能したのは歴史的事実と考えていますから単純に全否定しませんけれど、核兵器は人類史的視点からは「科学者の暴走」の一つの例でしょう。

また東北東海岸に東日本大震災以降に建設された巨大防潮堤も、土木工学者の暴走です。**「こんなこともできる」ということと、「こうすべき」というのは違うのに、理系が暴走すると後者が見えなくなってしまうのです。**

こういうときに優れた文科系的思考ができる人材が政治的リーダーシップを取り、理系が生み出す新技術を統合運用しながら最善の未来を目指さなくちゃいけないいんですが、**日本の文系はただ単に「数字に弱いアホ」ですからねえ。**困ったもんです。

同様のことがテレビ以外の世界で現在進行中です。それは電気自動車への転換です。NHKがアナログハイビジョンにこだわって失敗したように、日本最大の自動車メーカーが内燃機関ベースのハイブリッド技術にこだわったゆえに、電気自動車への転換が先進各国に比べて猛烈なスピードで遅れ始めています。ガラケー、デジタルテレビで起きた「デジタル敗戦」が、現在、日本最大の「飯のタネ」である自動車産業で進行中なんです。

皆さん、これは相当にマズイですよ。

精度の高い視聴率

家庭内の話で恐縮なのですが、ウチの近所でカミさんの父親が一人暮らしを始めました。今から20年くらい前にカミさんの妹の夫（私の義理の弟）ががんで早世した際、すでにカミさんの妹とその娘さんが我が家の近くに引っ越してきていたので、今回の義父の引っ越しで、カミさんの実家構成員は全員我が家の周りに集結したことになります。80歳を過ぎたカミさんの父親、私から見ると義父がなぜこのタイミングで一人暮らしを始めたのかは家庭内のコアな話なので割愛します。

私は、「お義父さんにはウチで暮らしてもらったら？」と提案したんですが、姉妹で話し合った末、義父にはウチの近所で一人暮らしを始めてもらい、姉妹で交互に面倒見ることにしたようです。

そんなわけで義父が高齢の一人暮らしを始めるにあたって、電気製品をそろえなくちゃいけなくなり、姉妹と義父が近所の電器屋さんに出掛けていきました。

私なんか、「どこのメーカーの製品でも同じ性能なら安けりゃいい」って思うんで

すが、80歳超の「気骨ある日本人」の義父は国産にこだわりがあるみたいで、

「ハイセンス？　聞いたことないなあ。東芝はないのか？」

「ハイアール？　なんじゃそりゃ。家電はナショナルだろう」

とかワガママを言って姉妹を困らせます。

そもそも「ナショナル」なんてブランド、今の若い人は知りませんよね。古い家電を見て「ナチョナルってどこの国のブランドですか？」って聞く若い人がいるらしいです。確かにナショナルがパナソニックにブランドを統一して、もうずいぶん経ちますからねえ。

そんなわけで、我が家でひと騒動あったんですが、不満げな義父を説得してハイアールやハイセンスの格安家電を買って超高齢男性の一人暮らしが始まりました。今回の騒動を見ていて、日本の家電メーカーのブランドが相当数中国企業に買収されている現実に改めて震撼しました。

例えば今、日本で一番売れているテレビは「レグザ」です。多くの人はこのブランドが「東芝」製だと思っているはずです。何せ「レグザ」ブランドのテレビの隅には

TOSHIBA のロゴが入っていますからね。

ところが「レグザ」を販売している会社の95％の資本は、中国企業であるハイセンスが出しています。東芝が保有している株は、わずかに5％に過ぎません。

許諾？　与えたっけ？

皆さん、知っていますか？　**皆さんが毎日どの番組を見ているかというデータが中国に筒抜けになっているのを。**

日本の視聴率調査会社は、私がテレビ局に入った頃には、アメリカの調査会社の傘下にある「ニールセン・ジャパン社」と、日本の電通子会社である「ビデオリサーチ社」と二つありました。

同じ番組でも二つの違った数字が毎日出てきて、「ニールセンなら高いんだけど、ビデオリサーチの数字が低い」なんてことはよくありました。当時は二つの数字がテレビ局の営業に使われていたんですが、だんだんビデオリサーチの数字しか使われなくなっていきます。

ビデオリサーチ社の親会社である電通が「ウチの数字に基づいてスポンサーと話をします」って言い始め、ニールセン社の数字がテレビ局の営業的に意味を持たなくなっていったんです。

そうなると高い金を払ってニールセンの数字を取得する意味がなくなりますから、徐々にニールセン社との契約を解除する放送局が出始め、結果的にニールセンは日本から撤退して、日本の視聴率調査はビデオリサーチ一社が担うことになりました。

ちなみに英語で視聴率のことを「ニールセン・レイト」というくらい、ニールセン社は世界の視聴率調査では突出した企業です。しかし今、日本のテレビ局が営業に使い、新聞などにも載っている「視聴率」はすべて電通子会社のビデオリサーチ社の調べによるのです。

でもねえ、実は一般の人は誰も知らないと思いますが、日本には現在、もう一つの視聴率の数字があるんです。それが「レグザデータ」です。

今のテレビの多くは、アマゾンプライムやネットフリックスを見るためにネット回線とつながっていて、「双方向」が実現しています。**この「双方向」を利用して、レグザを見ている人の視聴データがすべてレグザの子会社に送られているんです。**

実に日本国内の２４７万台のテレビの視聴データが、「レグザのテレビ」という端末からレグザ子会社に送信されています（２０２２年10月末時点）。レグザ子会社は「許諾をいただいた視聴データを個人が特定されることがないように統計処理を施した上で使用しております」と言っています。

でもねえ、レグザでテレビを見ている人は誰も「許諾を与えた」なんて意識はないと思いますよ。テレビを買うときに細かい字で書いた保証書みたいなものが付いてきますよね。あれをよく読むと、「許諾」について書いてあるようですが、保険の契約書などと同様、誰も読んじゃいないと思うんですよね。

ビデオリサーチの関東圏の視聴率調査サンプルは２７００世帯、関西圏は１２００世帯ですが、レグザのデータは「全世帯調査」みたいなもんですから、数字の信頼性ははるかにレグザのほうが上です。

それなのに、なぜレグザデータがあまり注目されないのか？

一つには、メーカーの販売戦略があります。だって、「レグザのテレビを見ると、視聴データが抜かれる」なんてことが知れ渡ったら、誰もレグザのテレビを買わなくなってしまいますからね。

それなのにレグザがなぜこれをやるのか？

実はそのデータに需要があって、データ商売が成立しているからです。

そもそも視聴率が極めて低いＢＳ放送などの場合、ビデオリサーチのサンプル調査ではほとんど数字が出てこないのです。出たとしても「誤差の範囲」で全く信頼のおけない数字です。

ところがレグザのデータは「テレビ全数調査」ですから、リアルに「何万台のテレビにウチのチャンネルの番組が映っている」という数字が出てきます。

この数字は営業に使えます。

電通子会社のビデオリサーチ社がかつてニールセンを日本から追い出したくらいですから、**電通はさぞかしレグザデータに危機感を覚えているかと思いきや、そんなことはありません**。レグザのデータを使って、ＢＳ放送を含むテレビ番組の放送枠、ＣＭ枠の販売が行われているのですが、この実務をビデオリサーチ社が請け負っているのです。つまり、電通がレグザのデータを営業に結び付けているわけです。

ちなみにタクシーに乗ると「テレシー」という「１００万円からテレビＣＭが出せ

る」「テレビCMの効果が数字で見える」を売りにしている会社の広告をよく目にしますが、この「テレシー」は電通子会社です。

かつてニールセンを日本から追い出すに際して、「日本のテレビ視聴率データが外国資本に押さえられているのはマズイ」という議論をよく耳にしました。

しかし、今日本で一番信頼のおける「全数調査」の視聴率データは、電通と「95％中国資本の会社」に押さえられているのです。

皆さん、これがこの国の実態です。

新型コロナワクチン接種を進めた功労者

2022年冬にテレビ局時代の同期に頼まれて、長崎の就職フェアでの短いトークショーに行ってきました。太平洋横断後、**テレビ番組で「これからは講演などで稼ぐことに時間を使うより、大切な人と過ごすことに時間を使いたい」って言ってしまったからか、**最近講演会社の依頼は少なく、一方で、身近な人々から「ちょっと来い」という依頼が増えました。

中には「俺さあ、今度町内会の副会長になっちゃってさあ、秋のイベントの企画に困ってんだよね。ちょっと来て1時間くらい喋ってくれる？」なんてメールも来ます。

太平洋横断中に「若くして死んだ古い友人たちとの会話」に時間を費やし、横断成功後、彼らの生まれ育った場所を訪ねる旅を始めたような心理状態でしたから、生きている古い知り合いからの依頼を断れるはずもなく、長崎旅行もこの一環でした。

このイベント、長崎の若い人を対象に地元での就職を勧める趣旨だったのですが、多くの若者はオンラインでの聴講となったらしく、目の前にいるリアルな受講者は皆それなりに人生経験を重ねた方々ばかりでした。

短いトークショーの後で会場からの質問に答えたのですが、中に「例えば、子宮頸がんワクチンの接種問題について、辛坊さんはかなり前から接種の有効性を唱えてらっしゃいましたが、多くのマスコミがワクチンの危険を煽る中、どうして正しい判断ができたのですか?」という質問がありました。


2021年秋、日本で子宮頸がんワクチンの接種が始まった際（2013年4月）に、徹底的に恐怖を煽って接種を中止に追い込んだ朝日新聞と毎日新聞が社説やコラムで、子宮頸がんワクチンの接種勧奨再開に「慎重」を求める文章を掲載しました。

いずれも、8年前に社会面全部を使って「反ワクチン運動」を展開した同じ新聞とは思えない小さな記事です。**私は、両紙は接種再開に慎重を求めるより先に、8年前に新聞社を挙げて反ワクチン運動に加担した過去について反省記事を書くべきだと思います。**

何せ、両紙が掲載した文章の中にも書かれているように、日本で子宮頸がんワクチンの接種が始まったときに起きたいわゆる「深刻な副反応」の中で、接種との因果関係がきちんと証明されているものは一件もありませんし、それは世界でも同様です。

逆に「深刻な副反応」として裁判になっているのと同様の症状が、ワクチンを打っていない若い女性に生じることがあるのは当時から知られていましたし、新型コロナワクチン接種に関しても、極度の緊張などから接種直後に失神してしまう若い女性が少なからずいるのは事実です。


新型コロナワクチンが、急速に全国民に広がった最大の理由は、大手のメディアが反ワクチン運動に加担しなかったからです。


ハッキリ言って、従来型の製法を使う子宮頸がんワクチンに比べて、人類が接種したことのないメッセンジャーRNAワクチンであるファイザー社とモデルナ社のワクチンの有するリスクは決して小さくありません。

両ワクチンで人類の生存を脅かすような副反応は今までのところ全く報告されていませんが、30年後に何が起きるか、あるいは起きないかを正確に予測することなんて絶対に不可能です。

しかし、それらのリスクを勘案しても、現在これらのワクチンが有するメリットのほうが大きいために、世界はワクチンを打つ判断をしたのです。

私がアメリカでジョンソン・アンド・ジョンソンのワクチンを打ったのも、日本でモデルナのワクチンを追加接種することを決意したのも、メリットとリスクを比較衡量して、メリットのほうが大きいと判断したからです。

年間約3000人に及ぶ死者

子宮頸がんワクチンの際に因果関係が不明の副反応について「ワクチンのせい」と事実上決めつける大報道を繰り返した朝日新聞や毎日新聞が、今回の新型コロナワクチンに関してなぜ「反ワクチン運動」を展開しなかったのか？

それは両紙が新型コロナに関して、病気の恐怖を煽り、「世界に比べてワクチン接種率が低い」等と政府批判を繰り返していたために、急に反ワクチンに舵を切るわけにいかなかったんですね。

また、子宮頸がんワクチンに際して、当時記事を書いていた記者たちは徹底的に「他人事」だったのです。徹底的に「自分事」である新型コロナとは違ったわけです。

両新聞と系列テレビ局が先導した、「反子宮頸がんワクチンキャンペーン」のせいで、先進国の中で日本だけが過去8年間、実質的にこのワクチンの接種が行われず、日本の若い女性たちは今、子宮頸がんの高いリスクにさらされています。

日本だけで毎年1万人以上がこの病気を発症し、3000人近くが亡くなっているのです。それも他のがんと違って、圧倒的に現役世代が多いのです。

今後ワクチン接種が再勧奨されても、この8年間に接種の機会を逃した日本の若い女性は高リスクにさらされ続け、両新聞は万単位の女性の死に手を貸すことになるのです。

この事実について両紙から一切反省の弁が聞こえてこないのはどういうことか?

怒りを通り越して呆れてしまいます。

ちなみに我が家は日本で子宮頸がんワクチンの接種が始まった頃、長女が接種対象年齢を迎えていました。当時の騒動は我が家にとって「他人事」では済まされなかったのです。

そこで私は、世界のメディアで報じられているこのワクチンに関する「公開情報」を丹念に集めました。その結果私は、「このワクチンは打つリスクより、打たないリスクのほうが大きい」と判断し、娘に接種を勧めました。

私がなぜそう判断したのか？

これは、長崎で質問してくれた女性への回答になります。

まず私は、日本で当時報じられていた**「重篤な副反応」を訴えている症例が極めて限定的で、どこのメディアで報じられているのも「ほぼ同じ人」だと気がついたのです。**

複数の新聞やテレビで連日大々的に報じられているのをぼんやり見聞きしていると、ものすごい数の重篤な副反応が起きているように感じてしまいがちですが、それらの情報の出元がごく少数であることを確かめて、リスクが一般的なものでないと確信したわけです。

かつて日本で問題になった三種混合ワクチンのように、本当にワクチン自体に重大な問題があるのなら、「副反応が極めて限定される」ことはありません。

また私は、病気を治療するときに人々が許容できるリスクに比べて、健康な人を対象にするワクチン接種で人々が許容できるリスクが小さいことを認識していましたから、「反ワクチン記事の大きさ」ではなく、そこに書いてある「事実の小ささ」から問題の真実に近づいたのです。

「山高きがゆえに尊からず」ということわざがありますが、「記事がデカいからと言って、書かれている問題が重要」とは限りません。

その記事に書かれている情報の中で、確認された事実がどのくらいあるかが大切です。メディアが伝える情報というのは、分厚い衣に包まれた海老天のようなもので、衣をはいで中のエビの大きさと美味しさを確認することこそが重要なのです。

まあ、海老天に関しては、衣も重要な要素ですし、そもそも私は甲殻類アレルギーですから、海老天に興味はないんですけどね。

皆さん、一事が万事です。

センセーショナルな報道の中から真実を見つけ出すのは簡単です。その情報の中に、確認できる事実がどのくらい含まれているか？

記事の中から、「感想」や「憶測」を取り除き、事実だけを選別するのはそんなに難しい作業ではありません。

私の役割は、忙しい皆さんに代わって、数々の公開情報の中から「事実に基づく真実」を抽出して皆さんに提示することだと思っています。

幸い日本では、判断に必要な情報のほとんどは公開されていて、努力すれば誰でも手に入りますからね。

むしろ巷にはびこる「自分だけが知っている裏情報」ほど、あてにならない情報はないんです。

サル痘と統一教会

2022年7月、日本にサル痘が上陸しました。

驚くと同時に、改めて、日本のマスコミの「情報を隠す」体質を目《ま》の当たりにして、暗澹《あんたん》たる気持ちになりました。情報を隠すという意味で最近問題になったのが、例の統一教会です。

安倍元首相が襲撃された直後から大手マスコミは「母親が宗教団体に所属していた」と、教団名を隠して報道し始めました。このニュースは警察からのリークで、警察が教団名を隠してリークした可能性がありますが、容疑者名は特定できていましたから、少しでも独自に取材すれば母親が統一教会の信者であることは容易に特定できたはずです。

私は警察がオフレコ情報としては教団名までマスコミにリークしていたと想像します。マスコミは独自に裏を取ることができたはずですが、警察がオフレコ情報にしていることについて、独自に取材して報道することをためらったわけですね。

こうして、全新聞、全テレビとも、初期の報道で「宗教団体」としか伝えなかったのです。この教団名は事件の核心の一部です。この報道姿勢は酷いです。

そんな中、事件から4日ほどして、ネット上などで教団名などが出回るようになって、統一教会（現在名称が変わっています。宗教法人の名称変更には監督官庁の許可が必要で、この許可がどういう経緯で出されたのか政治問題になっています）が記者会見し、容疑者の母親が教団信者であったことを認めました。

さすがにこの事態を受けて教団名を隠しきれなくなったマスコミは一斉に統一教会批判を始めます。**今回の事件で、「統一教会」という名前が出るまでのマスコミの迷走を見ると、「既存マスコミは嘘ばかりつく」と一部の陰謀論者が口にするのを止められないと思います。**

男性同性愛者への過剰な配慮

同様に日本のマスコミがサル痘に関して、「知っているけど伝えなかったこと」がありま す。それは、この病気、今回の世界的流行で発症者になっているのは、ほとんどすべてが男性同性愛者だという点です。

その率90%以上です。この事実は海外のマスコミは広く報じていますが、日本のマスコミは初期の報道においてこの情報を隠しました。おそらく、「同性愛者から批判を受けたくない」という理由だと思いますが、海外で多くの感染者が出始めた状況下でこの情報を隠したことが、病気の日本流入を許した可能性があるのです。

サル痘、「サル」と名前が付いていますが、基本的に宿主はリスなどのげっ歯類です。このウイルスがげっ歯類からサルに感染すると、天然痘のような発疹が出て発症するわけですね。今までも稀に、サルと濃厚接触したアフリカの人などが感染、発症することがありましたが、WHOが世界的に警告を発したのは、人から人への感染で世界的に1万人を超える患者を出しているからです。

本来人から人へ感染するケースがほとんどなかった病気である上に、サル痘は元々の再感染率が1をはるかに下回っている病気ですから、1人が1人以下にしかうつさないわけで、必ず病気は自然に終息するはずなのです。

ところが、世界的に人から人への感染でどんどん病気が広がっているわけで、WHOが厳戒態勢に入ったのはそのためです。ウイルスが何らかの変異を起こしたか、人間の側にウイルスに感染しやすい何かが起きたか、どちらかの可能性しか考えられません。

後者については、人間の免疫力に変化が起きた可能性より、近年、男性同性愛者がＳＮＳ上で簡単に国境を越えてパートナーを見つけられる状態になり、それがこの病気の人から人への感染原因になっているという指摘のほうに説得力がありそうです。

この病気、肌に発疹が出来た人と濃厚接触したり、精液に触れたりすることで人から人へ感染することが経験的にわかっています。

発症している人の１００％近くが男性間の性接触で感染したことが知られていて、世界的にはこの点を中心に報道されています。これを報道することは、感染の広がりを抑えるために必須です。**だって、それ以外に感染ルートがないなら、病気の連鎖を断つには、男性間の性的接触の危険性を周知させることが肝要ですからね。**この情報は差別でも何でもなく、感染の広がりを食い止めるためにとても大切ですし、この報道が男性同性愛者の健康を守ることにもつながります。

ところが、そんなマスコミの本来の役割を認識していない日本の大手メディアは、

「男性同性愛者に特有の病気であると報道することは同性愛者への差別につながる。同性愛者の団体から批判されたくない」等の思いから、初期の報道で情報を隠してしまったのです。

その報道姿勢は、かえって男性同性愛者を危険にさらすことになり、日本人第一号の発症者は、こうして生まれたと考えられるのです。知っていれば、このタイミングでわざわざ海外に行って男性同士の性行為を行うことはなかったでしょうし、行うにしても、相応の警戒をしたはずです。

ただ、一つ、日本のマスコミが男性同性愛者に関してトラウマになっていることがあるのは事実です。

今では病気発症のメカニズムから治療法まで解明が進んでいるエイズですが、最初に世界的な報道が始まったときには「男性同性愛者に特有の病気」と報道されました。

世界のメジャーな宗教の中には、男性同性愛を禁忌と考えるものが多く、エイズを「神の怒り」と結び付けたんですね。その後日本でも「性的に乱脈な人の病気」とされて、血友病患者の感染を隠すために、神戸の性風俗店で働く女性が「日本のエイズ感染第一号」と報道されました。

当時日本のマスコミは、「エイズは性的にだらしない人の病気」というイメージを広げたのです。今回サル痘について、あのエイズ騒動時のように、「性的指向への差別につながる報道は避けたい」という思いが日本のマスコミの一部にあったのは否めないと思います。

だからと言って、重要情報を隠すという日本のマスコミの姿勢が許容されるべきではありません。

「知ったことの事実確認をして、裏が取れた事実は誠実に受け手に伝える。報道の結果起きることについては受け手を信頼する」

これがマスコミの報道姿勢であるべきです。

マスコミが過剰な自主規制を敷いて情報を隠すことは間違っています。今、マスコミの内部で、こんな当たり前のことを主張する人がほとんどいなくなっているようです。正直、情けない気持ちでいっぱいです。

ちなみにサル痘は医療体制の整った先進国で死ぬことはまずありません。

致死率が50％にもなる天然痘とは恐ろしさが全く違う病気です。でも、感染者は生涯「あばた」に悩まされますので、甘く見ていい病気ではありません。

天然痘のワクチンはサル痘にも有効ですが、１９８０年に世界的な天然痘撲滅宣言が出て現在どの国でも天然痘ワクチンの接種は行われていません。

今の中年以下の日本人の多くは天然痘ワクチンを接種していません。

具体的に言うと、１９７６年が接種中止の年で、それ以降に生まれた現在40歳代半ばより若い人は天然痘、サル痘に全く免疫がありません。

60歳以上の人は天然痘ワクチンを3回打っていますから感染リスクは低いです。その中間の世代、１９６２年から１９６８年の間に生まれた人は2回、１９６９年から１９７５年の間に生まれた人は1回接種しています。

この皆さんにもある程度の免疫力があります。そんな理由もあって、世界的に40歳以下の層に感染が広がっています。ワクチンはある種の病気予防には極めて有効なのです。

子供のときに天然痘ワクチンを接種していない方、「サル痘」要注意ですよ。

役所に騙されるマスコミ

最近新聞を読んでいて、「記者の不勉強」と言うと言いすぎかもしれませんが、「こんなにもやすやすと役所に騙されるんだ」とビックリすることが増えました。

特に目につくのが国土交通省関係のニュースです。

悲惨な知床遊覧船の事故に際して毎日、テレビや新聞の報道を見たり読んだりしていると、国土交通省を筆頭に、公的機関に批判の矛先が向かわないように、実に巧みな情報操作が行われているように感じてしまいます。

しばらく経ってから、私が事故初期から指摘していた救命筏の設置問題などに言及するメディアが出始めていますが、その記事を読んでも、「国土交通省の誘導通り」の内容になっているようです。

一例を挙げましょう。今回事故を起こした観光船は、大きな座布団の四辺に手で掴まるためのベルトが付いたような「救命浮器《ふき》」しか搭載していませんでした。

水温1桁の海でこんなものに掴まって浮いていても、低体温症で10分と持たずに気を失って手を離してしまいます。次にやってくるのは溺死という悲惨な結末です。

こんなに寒い海域で、救命筏や救命ボートを積んでいない観光船が客から金を取れるのは明らかに制度上の不備です。とんでもない社長のいる運行会社にばかり矛先が向いていますが、ちゃんとした運行会社の船でも、座礁して船底に穴が開いたら沈みます。

船が沈んだら、この寒い海ではどんなに遅くても30分以内に救助して海から引き上げないと、同じ結果になってしまいます。

しかし、この問題を報じたすべての新聞は、「法律上、救命浮器か救命筏のどちらかを設置するように定められていた」と書いていました。

私が想像するに、記者が国土交通省に問い合わせて、そういう回答を得たのだと思います。**これは、私に言わせると完全に間違いです。**

記事が伝えるように「救命浮器か救命筏かを選択して積載するよう法律で定められている」のなら、読者の印象としては、「救命浮器を選択したのは船会社の責任」ってことになります。

知床遊覧船沈没事件の犠牲者を悼む献花台。斜里町の運動施設に設けられていたが2022年6月6日から町役場の正面玄関に移設された。同年7月23日撮影。(写真／時事)

「救命筏の設置は法律で定められているので、国土交通省の制度に瑕疵《かし》はない」ってわけです。「瑕疵」は法律用語ですが、「不備」くらいに捉えておいてください。

これなら矛先は国土交通省に向かいません。実に巧みな国土交通省の誘導です。

この誘導を信じてそのまま記事を書いた新聞記者は、アホでなければ役所の手先です。

記事の何が「間違い」か？　これには少し詳しい説明が必要です。

法的義務が担保しない安全

日本の小型船舶には「航行区域」が定められていて、航行区域に応じて船に搭載する備品の種類と量が変わります。

湖などの閉鎖された淡水域しか走らない場合、「平水《へいすい》」という航行区域になり、船舶検査はとても緩いです。

一方、大阪湾や三浦半島周辺などで走っている船の大半は「限定沿海」という船舶検査を受けています。この検査もかなり緩く、若干の安全備品の搭載や最大搭乗人数分の救命胴衣などの設置で検査が通ります。

小型船舶の最大搭乗人数は、船の性能よりも、「救命胴衣を何人分積んでいるか？」などで決まります。

太平洋横断成功後、最近進水した私の小さな船は、救命胴衣を8人分搭載することで「最大搭乗人数8人」の権利を得ました。救命胴衣を6人分しか積んでいなければ、最大搭乗人数は6人と決められてしまいます。

「限定沿海」の船舶検査では、海図上で表示される「限定海域」しか走れません。

例えば大阪湾内に係留している船が「限定沿海」の検査しか取得していなければ、紀伊半島の真ん中くらいより南には合法的に進めないのです。

海岸線ぎりぎりに日本一周したいような場合は、海岸から5海里（約9・3キロ）まで走れる「沿岸」という船舶検査を受けなくてはいけません。

もう少し外海に出たい場合は「沿海」という資格を取ります。

この資格を取るのに必要なのが「救命浮器」です。

「沿海」の資格を取っている船は海岸線から20海里（約37キロ）まで離れて走れます。

例えば大阪から四国沖を回って高知県の南西端である足摺岬に向かう場合、「沿岸」

資格しか取得していないと、高知の海岸線の湾曲に合わせて大きく北回りしなくてはいけませんが、「沿海」の資格を持っていると、高知県の南東端の室戸岬と南西端の足摺岬を結ぶ最短コースを走れるのです。

沿岸から20海里を越えて、もっと遠くまで行きたい場合には「近海」という資格を取る必要があります。この資格を取るために絶対に必要なのが救命筏です。

これ以外にも位置情報を含む遭難信号を衛星経由で陸地に発信する装置などが必要になります。これらはかなり高価です。

「沿海」以下と「近海」以上では船検取得のハードルが全く違うのです。

「近海」の船舶検査を取得すると、北太平洋の真ん中くらいまで走ることができます。

しかしこれでは太平洋横断はできません。

さらに遠くまで行きたい場合、「遠洋」という資格が必要です。この資格を取得するためには、外国の港湾管理者と通話できる特殊な無線機の設置などを求められ、さらにハードルが上がります。

太平洋を横断した「カオリンV」は当然この資格を取得していました。ちなみに、ここで書いた制度は日本船籍の小型船舶にのみ求められるもので、外国から入港してくる船に、ここで書いたような備品の搭載義務はありません。

外国では基本的に、プレジャーボートについては自己責任の世界で、役所がこんなにこまごまと備品の搭載を義務付けたり、免許、検査制度などの網をかけたりすることはまずありません。

それでも多くの外国のプレジャーボートオーナーは、自分たちの命を守るために、安価で性能の良い救命筏を船に載せています。

ところが外国のプレジャーボートが載せている安価な救命筏は、どんなに性能が良くても、日本の国土交通省の検査を受けていないので、日本の法律では「載せている」ことになりません。逆に日本で「限定沿海」、「沿岸」、「沿海」の船検を受けているプレジャーボートが救命筏を搭載しているのを見たことがありません。

外国の小型船の多くは、法的義務はありませんが自主的に救命筏を積んでいるのです。

ところが厳しい検査をパスする必要のある日本のプレジャーボートは、法律の要請がないがゆえに救命筏を搭載していないのです。

その理由の一つには、国内で流通している国土交通省認定の救命筏の価格が、国土交通省の認定マークのない外国製の救命筏に比べて「ゼロ一つ分高い」こともあります。

ハッキリ言って、数千円でホームセンター等で売られている、浮き輪に毛の生えたようなビニールボートでも緊急の際には大いに役立つのですが、国土交通省としては、そんな製品の搭載を公式に認定するわけにいかず、さりとて50万円以上の値札が付いている国交省認定品の搭載をすべてのプレジャーボートに義務付けるのも現実的でないので、結果的に、日本のプレジャーボートはものすごく無防備な状態にあるのです。

ちなみに「沿海」資格を取得した現在の私の船「カオリンⅦ」には、法定備品の救命浮器以外に、空気で膨らますゴムボート2艇と緊急用の小型船外機1機を積載しています。

太平洋横断時の船「カオリンⅤ」は「遠洋」資格を取得していましたから、国交省認定品のバカ高い救命筏を積載していました。

私はプレジャーボートに対する日本の免許、検査制度は、国土交通省の利権そのものだと感じています。免許、検査等の機関の幹部職員は基本的に国交省のOBです。

返納してはいけない運転免許

話を元に戻しましょう。日本の小型船舶の所有者はみんな、「『近海』『遠洋』の船舶検査を通すためには『救命筏』が必要だが、『沿海』以下の船舶検査の場合、『救命胴衣』と『救命浮器』で十分」と考えています。

「限定沿海」以下の資格の場合、「救命浮器」の設置義務もありません。

確かに法的には「救命浮器」の代わりに「救命筏」を搭載していても『沿海』の船舶検査は通りますので、「『救命浮器』か『救命筏』か、どちらかの搭載義務がある」という国土交通省の説明は嘘じゃないのかもしれませんが、現場は「『救命筏』の設置は必要ない」と思っているわけで、国交省の説明は「役所の制度に不備はなかった」と匂わせるための虚偽だと感じます。

これはほんの一例です。

日本の記者は役所に騙されすぎです。

今回の事故で、観光船が救命筏を搭載していたら26人は全員無事に生還していたでしょう。制度の不備が死者行方不明者26人という悲惨な結果を招いたことに疑いはありません。

実は国土交通省マターのニュースについては、ほかにも問題が山ほどあります。「運転免許返納運動」なんてまさにその一つです。皆さん、運転免許を返納してはいけません。取り返しのつかないことになる前に、ここで注意を促しておきます。運転免許返納運動なるものは、国交省、警察庁、某自動車メーカーの責任問題が浮上するのを回避するために行われている間違った国民運動です……。

書き始めると長くなりそうですね。

匿名報道の罪

ＡＢＥＭＡの橋下徹氏の番組に出演しました。

橋下氏の事務所から直接私に出演依頼があり、原則ラジオには出演しない橋下氏に私のラジオ番組に出てもらっている義理もあって受けたのですが、気がつくと２本撮りになっていて、２本目は２０２２年元日放送の２時間半のスペシャル版でした。

当日オンエアの１本目の出演ですでに大分ハイボールを飲んでいたのに、それに続いての２本目でヘロヘロになっていたら、最後に橋下氏がメインテーマをぶつけてきて、私は見事にプロレスのヒールを演じさせられることになりました。

思ったより彼は策士ですね。まあ、そうじゃなければ魑魅魍魎《ちみもうりょう》の跋扈《ばっこ》する大阪府庁、大阪市役所で８年間も首長は務まりません。

このときのテーマは「犯罪報道における実名・匿名問題」です。

これについて私は堅固な信念を持っていますが、メディアのことをよく理解していない、例えばネットで書き込みをしているような人々と意見が合わないのは承知しています。

私はこの種のメディア問題の研究を30年くらい続けていて、アメリカの放送行政をつかさどるＦＣＣ（連邦通信委員会）に行って、そこで働く官僚（多くは弁護士です）連中に話を聞いたりしています。

私は番組収録で見事にキレ、正直「これで視聴者が理解することはないだろう」と思いながら喋りました。この問題で一般の人に理解してもらうことの難しさはわかっていますからね。

私はいろんな意味で諦めかけているのかもしれません。財政問題と一緒ですね。それにしても、犯罪報道に関して、加害者及び被害者の匿名議論がこんなに盛り上がる国をほかに知りません。

私は思うんですが、**「マスゴミ」と言いながらも、日本人の多くはマスコミを潜在意識で信頼しているの**だと思います。

マスコミに本当に信頼がない国の国民は「マスコミなんか嘘しかつかない」と思っていますから、証言者の声を変え、さらにモザイクまでかけるなんて手法は絶対に認めません。

この手法ならマスコミはどんな嘘でもつけますからね。

最近日本ではＮＨＫすら平気でこの手法を使います。日本人は違和感なくこの種の手法が使われるニュースを見ていますが、例えばアメリカなどではまずあり得ません。

ウォーターゲート事件の際の「ディープスロート」などは稀有な例外ですが、この時も新聞社の幹部は「ディープスロート」が誰かを共有し、歴史的検証に堪える態勢を作っていました。

ところが日本では、証言者の音声を変え、顔にモザイクをかけて放送するなんてことは日常茶飯事で、**後にその「客観的証言者」が放送関係者の身内だったり、ニュース当事者だったことがバレて騒ぎになったことが、ＮＨＫでも民放でもありました。**

それなのに、今でも平気で匿名の証言者に語らせる手法を続ける日本のマスコミは異常です。

新聞でも「街行く人は、こう述べていた」なんて記述が日常的にありますが、これも世界標準ではあり得ません。たとえ「街行く人」であっても、それが「どこの誰」かわかるように名前と年齢を載せ、読者が記事の真実性を検証できる形で報道するのが、民主主義国の報道マナーなんです。

ところが、登場する人物がほとんどすべて匿名、仮名なんて記事が日本の新聞では普通に見られます。これでは読者は記事の真偽を判断することはできません。記事すべてが、「記者の作り話」かもしれないのですから。

この日本の報道機関の現状を受け入れている日本人は、なんだかんだ言いながら潜在意識下で報道機関を信頼しているのだと思います。

報道の嘘を見抜く必要最小限

私は全く信頼していません。モザイクがかけられた証言を聞くとき、私は「この証言はニュースの要素から除外しよう」と考えます。

多くの証言は本物でしょう。しかし1000に一つの嘘が怖いのです。

報道で、加害者、被害者、特に被害者について匿名にすべきだという議論は昔からありますし、そう主張する皆さんの気持ちはわかります。

例えば、ソープランドが放火されてソープ嬢や多数の客が焼け死んだ際などに、あえて被害者名を公表するかと問われれば、私が番組キャスターなら、報道しない選択をするでしょう。

でもね、それは「一般論として被害者報道をしてはいけない」という議論とは違うのです。

橋下氏が昔から主張するのは、「犯罪報道において被害者報道は要らない」ということですが、これは間違いです。

加害者にせよ被害者にせよ「どこの誰が」というのは報道の根幹です。この一角を崩してしまうのは報道の自殺行為です。

この基本の欠けているニュースはニュースではありません。**読者が、「報道されている事実」から報道内容を検証できなくなったら、報道機関はどんな嘘でもつけてしまいます。**被害者報道の一角が崩れると、犯罪報道に関してすべての「被害者」から「報道するな」というプレッシャーがかかるでしょう。

日本の報道から、「米兵が犯人」以外の性犯罪報道が消え、凶悪犯の前科前歴報道が消えたように、やがて日本の犯罪報道から「被害者報道はタブー」となっていくでしょう。

「和歌山のドンファン」は犯罪被害者ですし、後に逮捕された元妻は「被害者遺族」ですから、この種のニュースは報道されなくなります。

日本大学を巡る背任事件でも、「日大は背任の被害者」ですから、「関東の某大学を舞台にした背任事件」と報道されることになるはずです。

これは杞憂ではありません。

私は過去30年間、日本の犯罪報道の多くがさまざまなプレッシャーの中で「ないこと」にされてきたのを見続けてきました。性犯罪なんかその典型ですね。その結果、きちんと報道していれば防げた凶悪事件で、何人もが命を失っているんです。

ところで、番組でヒール役の私は橋下氏にキレているように見えるはずですが、本当に啞然としたのは別の点です。

それは、東京で長年情報番組の主役を務めていたような人が、橋下氏の主張する「被害者匿名論」に同調したことです。

感情的には、皆さんの思考回路は理解できます。でもね、もし私が「被害者匿名論」を持っていたら、私がキャスターとして出演している番組では被害者の実名報道はしていないと思うんです。**キャスターというのは、視聴者に対して全責任を負っています。**視聴者に見えるのは制作陣じゃなくてキャスターですからね。

中身に責任の持てない番組について、私は絶対に「キャスター」をやりません。嫌なら辞めればいいだけの話ですから。日本では番組を辞めても命まで取られることはありません。ロシアや中国とは違うんです（笑）。

それなのに、長年自分の番組で被害者実名報道を続けておいて、今になって過去の反省を口にすることなく被害者匿名論に与《くみ》するなんて、と、衝撃を受けたのです。

しかし、酔った頭でも当事者に矢を放つことをしない理性は残っていたので、橋下氏と怒鳴りあいになったのです。くっそ～、嵌められた（笑）。

ところで私の担当しているラジオ番組では、被害者、加害者だけでなくプライベートな話題に際しても匿名を多用しています。

その理由は単純で、この番組は私の「パーソナル」な番組で、「私の名にかけて真実性を誓う。私を信用してね」という番組だからです。だから私はこの番組で「キャスター」じゃなく「パーソナリティ」を名乗っているのです。

毎日新聞が越えた一線

人間、どんなに金に困ってもやってはいけないことがあります。

これは人類普遍の常識ですよね。

「人を殺す」なんて絶対の禁忌を犯さなくても、「武士は食わねど高楊枝」ということわざがあるくらい、やせ我慢が必要なことは人生には多々あります。

これは何も人に限ったことでなく、会社にも当てはまる話です。

会社だって、存続のために何をやってもいいわけじゃありません。製造業だって、当然この倫理観は必要です。

東西冷戦が厳しい頃に、日本の大手機械メーカーが、精密に金属加工できる巨大装置をソ連に売って国際条約違反で摘発されました。

この巨大装置は、潜水艦の精密なスクリュー作りに使えるために、共産主義国への輸出が禁止されていたのに、商売のために密輸出したんです。

この装置を使って作ったスクリューは作動音が極めて小さく、ソ連の潜水艦に、西側の潜水艦探知能力を回避する力を与えることができます。

一企業が自社の利益のためにした商取引の結果、自由主義陣営すべてがソ連潜水艦の恐怖におびえなくちゃいけなくなるわけです。これは絶対にやってはいけない商売でしょう。

なんの話を始めたのかというと、毎日新聞の問題です。

実は毎日新聞が中国共産党政府の日本における宣伝工作の拠点になりつつある話は、世界的には数年前から言われていて、２０２０年秋、毎日新聞が朝刊の折り込み広告扱いで８ページの中国共産党の宣伝冊子を宅配したのは初めてじゃありません。

単に私が認識したのがこのときの折り込み広告だっただけで、**中国共産党の資金が毎日新聞に流入し始めたのは数年前からです。**

これが最近加速しているようで、２０２０年は8月と9月に連続して、中国共産党の宣伝英字紙である「チャイナデイリー」発行の「チャイナウォッチ」が毎日新聞朝刊に添付されました。聞くところによると翌年には毎月1回、８ページのチャイナウォッチが毎日新聞読者の元に届いたらしいです。

これで毎日新聞にいくら金が入るのか公表されていませんが、毎日新聞の全国版1ページの広告料金は正規で払うと2500万円くらいです。

それまで毎日新聞が中国共産党の宣伝冊子を印刷、配布していることに気がつかなかったのは、関西での配布がなかったからです。

私のTwitterなどでの反応を見ると、毎日新聞大阪本社エリアでの配布は行われていないみたいです。ですから1ページ2500万円の値段よりは安いはずですが、それでも8ページですから、1回の配布で億単位の金が毎日新聞に支払われているのは間違いありません。

毎日新聞は例えば「アベノマスク」の単価など、政府に行政費用の開示を迫ることが多いですが、マスコミのマナーとして、チャイナデイリーの仕事を請け負うことで一体いくらの収入になっているのかしっかりと公表すべきでしょう。

中国共産党に蝕まれる世界

ちなみにチャイナウォッチが挟み込まれた日(2020年9月24日付)の毎日新聞

の朝刊1面トップの記事は、習近平中国国家主席の国連総会演説についてで、見出しは「中国『$\mathrm{CO}^2$60年実質ゼロ』初の期限目標」「消極的な米をけん制」となっていて、中国が国連総会演説で2060年までに中国国内の二酸化炭素排出量を実質ゼロにすると発表したことを大きく取り上げていました。

この記事の締めくくりは「日本政府は『50年に出来るだけ近い時期』に排出実質ゼロを目指すとしているが、明確な時期を打ち出せていない」と、いつものように日本政府批判で終わっています。

ちなみに朝刊に差し込まれていた「チャイナウォッチ」には北京の紹介記事、コロナ対策の成功譚、上海ブックフェア、北京の「カピバラカフェ」など、「素晴らしい国中国」がこれでもかと描かれています。

私はTwitterに「とてもとても悲しい」と書きましたが、**実際に抱いた感想は「とてもとても恐ろしい」でした**。毎日新聞は、単に中国共産党の宣伝冊子を印刷して配布するだけじゃなく、本体の新聞記事にも明らかな対中国配慮があふれ返っていて、「営業と編集は別」とはとても思えない朝刊紙面になっているのが本当に恐ろしかったんです。

裏で金をもらってる場合なら、「金をもらっているからだと思われないように、こっそと書こう」という配慮をするのが普通の神経だと思うんですが、毎日新聞はついにその「偽装行為」すら放棄してしまっているように見えるのです。

毎日新聞が過去に一度倒産していて、近年の発行部数激減で経営が苦しいのは業界の常識ですが、どんなに苦しくてもメディアとして越えてはいけない一線があります。

毎日新聞は、残念ながらこの一線をすでに越えてしまったようですね。

問題は「これが毎日新聞だけか？」という点です。

実は世界中で、中国が政治家、メディア相手に積極的な宣伝工作を仕掛けていて、中国に対する好意的な世論を作り出そうとしていることが問題視され始めています。

２０１９年にはオーストラリアで、中国の息のかかった人物を国会に送り込む工作がオーストラリアの公安組織に暴かれて大騒ぎになりました。

また新疆《しんきょう》ウイグル自治区の人権状況を番組で取り上げたことに端を発して、私に関する嘘記事が週刊誌に出たのは皆さんもよく知る事実ですよね。

おそらくこうして表面化するのはほんの氷山の一角で、多くの人が気がつかないうちに、中国共産党がばらまく金欲しさに、政治やメディア内部で、自国民の命、人権、そして国益を売り渡すことが平気で行われているのではないか？

そんな恐怖をひしひしと感じるのです。カジノに絡んで、自民党の陣笠議員に金が流れて摘発されましたが、こんなこと日常茶飯事なのかもしれません。

結局、一人一人、一社一社が、「どんなに苦しくても、譲ってはいけない一線がある」という覚悟を持つしか、本質的な解決方法はありません。

ちなみに私にとって命と同様に大切なのは、自由と民主主義という価値観です。

この価値観自体、戦後のアメリカの占領によって作られたものだと言われれば、それは間違いない事実でしょう。でも私は自分の人生の中で、実際に旧共産圏を旅し、旧ソ連の惨状を目の当たりにし、現在の中国で少数民族が置かれている状況を知ると、私の価値観は間違っていないと信じています。

「どんなに困っても、絶対に手を出してはいけない金がある」、なぜこんな基本的なことが毎日新聞の幹部にわからないのか？

驚愕し慄《おのの》くばかりです。

選挙直前にテレビが政治報道を避ける理由

選挙が始まると同時にテレビ各局のワイドショーの新聞見出しから政治の話が見事に消えます。

近年どんどんこの傾向が強まり、「選挙期間中は純粋なニュース番組以外、テレビ番組は選挙や論争のある政治問題について避けて通る」というのが常識になりつつあります。

理由は単純です。テレビ局が「面倒くさいことに巻き込まれたくない」からです。

日本の放送法には放送局に政治的公平性を求める規定があり、放送法に直接の罰則はありませんが、放送法に違反すると電波法に違反する可能性が生じます。

そして電波法違反は放送局の停波や放送免許剥奪につながるのです。

誰だって、こんな面倒くさいことに巻き込まれたくないじゃないですか。

背景として、SNSが発達して、選挙期間中のテレビでの政治的発言が瞬時に「炎上」するようになったこともあります。

一般市民の間に、放送局に政治的公平性を義務付けた放送法第4条への中途半端な理解が広がり、放送法が市民に「炎上」の根拠を与えてしまっているように思うんです。

私はテレビ局入社以来、放送局に政治的公平性などを求める放送法第4条（当時は第3条だったと記憶しています）に対して懐疑的で、1996年にはこのテーマを研究するためだけに1カ月ほどアメリカに渡りました。

この翌年の1997年から98年にかけて読売テレビの社員教育制度を使って1年超ニューヨークに滞在しましたが、1996年の渡米は「アメリカ国務省からの招待」です。

このときは夕方のローカルニュースのキャスターをしていたんですが、丸々1カ月間番組を休ませてもらいました。

アメリカ国務省の傘下には当時「文化交流庁」という組織があり、途上国からの研究者の場合は旅費を含めた滞在費すべてをアメリカ国務省が面倒見てくれる研究制度があったんです。

日本は途上国じゃないので、日本からの研究者の場合、旅費は自腹で、滞在費と研究費だけがアメリカ政府から支給されました。記憶が曖昧《あいまい》ですが、私の場合、テレビ局を説得して旅費を局に出してもらったはずです。

勝手にアメリカ国務省と話を付けて番組を休む上に、交通費まで局に出させるなんて、今から考えるとかなり無茶な話です。当時は局も社会もずいぶんおおらかだったんですね。

消えた「フェアネス・ドクトリン」

この文化交流庁の系列にフルブライト財団も位置します。

アメリカがなぜこんなことにアメリカの税金を使うかと言うと、この制度でアメリカに来た世界の若手研究者がアメリカの民主主義を学ぶことによって、世界に「親米の輪」を広げたいからだと思います。

ただフルブライト留学生を含めこの制度で渡米した人の中には、帰国してから堅固な反米活動家になってしまった人が少なからずいます。

アメリカ国務省の作戦は必ずしも成功していないようですね。

私の1996年の研究は、1987年のアメリカFCC（連邦通信委員会）による「フェアネス・ドクトリン撤廃」がメインテーマでした。アメリカの行政は日本と違って、多くのことが「独立委員会」で決められます。委員会の多くは5人のメンバーのうち2人が民主党、2人が共和党からの推薦者で、残る1人が時の政権党（民主党か共和党）寄りの人物となっています。

有権者の政権選択の意思はこうして委員会の行政に反映されるわけですね。

アメリカFCCもこういう組織で、日本での放送法にあたる規則や、規則に基づく罰則を決定する力を持っています。


このFCCが第二次大戦後すぐ、アメリカ占領下の日本で放送法が作られるよりも少し前に「フェアネス・ドクトリン（公正原則）」という規則を制定しました。

この規則は、放送局に「一つの意見が放送で提示された場合、同じ時間帯に同じ長さで、放送で提示された意見に反論する権利を視聴者に与えなくてはいけない」というかなり具体的な規定でした。

この規則により、多様な見解の存在するアメリカでは、一つの意見を放送に乗せてしまうと、テレビ画面が反論で占拠される事態になってしまいます。結果的にこの「フェアネス・ドクトリン」はアメリカの放送界から「意見」を奪ってしまったのです。

昔、「アメリカのニュースキャスターは意見を言わない」と日本で言われた背景には、アメリカの法の要請があったのです。

このFCC規則「フェアネス・ドクトリン」の根底にあったのは、「放送電波は希少な資源で、この資源を特権的に手にしたものは、抑制的にこの権利を使わなくてはいけない」という思想です。

この思想自体は正しいと思います。

しかし1980年代に入って全米でケーブルテレビが普及し、放送電波を使わないチャンネルが何十も誕生するに至って、「地上波の放送局だけに法で反論権を義務付けるのは不合理で、言論の自由を制限することになるのでは」という議論が生じ、放送局に義務付けられている「フェアネス・ドクトリン」撤廃の機運が高まります。

こうして1987年に至り、レーガン政権の自由化の流れの中で日本の放送法第4条の原型であるアメリカの「フェアネス・ドクトリン」が撤廃されたのです。

この後、言論活動が自由になったアメリカで、ラジオ局を中心にかなり右派色の強い番組が流行り始めます。今、アメリカの一部には左派を中心に「もう一度放送局に政治的主張をやめさせるような規則を作るべきだ」という議論もありますが、その議論は主流になっていません。

今「フェアネス・ドクトリン」を復活させたら、その規則は間違いなく憲法違反とされるでしょう。

さてアメリカでは35年も前に撤廃された「放送法第４条」ですが、日本ではまだしっかりと機能しています。それどころか、年々放送局に対してこの法を根拠にした「締め付け」が厳しくなっているように感じます。

テレビが放送法第４条から離れる日

日本でも１９９０年代には、放送法第４条撤廃の動きがマスコミ学会の一部などで浮上したことがあります。

ところが日本のマスコミ学会にいる人々の中には通信社や新聞社、放送局などから不遇をかこってドロップアウトした皆さんもかなりいて、まともなマスコミ教育を受けた人は日本の学会にろくにいません。

極論すると日本のマスコミ学会は「不満分子のたまり場」の様相を呈していて、過剰に「反権力」だったりします。マスコミ関連学部で学ぶ学生さんには気の毒ですが、日本のマスコミ関連学部出身で優れたジャーナリストに育った人を見たことないです。まあ、何が「優れたジャーナリスト」かなんて、誰が決めるんだって話ですけどね。

放送法第4条について1990年代の日本では、一部左派系の学者の中から「放送法第4条は、政府の干渉から放送局を守るための規定だ」という妄想学説が生まれます。

これは法の成り立ちからしても、運用の実際状況からしても全くの間違いなんですが、一部の現役マスコミ人の中にも、この珍奇な学説を信じて記事を書くアホが出始めます。

2000年代の初頭、朝刊を読んでいて私はひっくり返りました。確か毎日新聞だった思いますが、「自民党が放送局を自由に自党の宣伝媒体に使えるように、放送法第4条を撤廃しようと画策している」という趣旨の記事を1面トップに掲載したのです。

私は当時の自民党内の雰囲気をよく知っていて、「テレビ朝日のニュースステーションなどは明らかに放送法第4条違反で、放送法によって締め上げるべきだ」という意見が党内に横溢していましたから、この毎日新聞の1面トップ記事は事実と正反対の明らかな間違い記事でした。

私は当時担当していた全国ネットの番組で、「この毎日新聞の1面は完全な誤報で、書いた記者はあまりにモノを知らなさすぎる」と解説をした記憶があります。

その後の自民党の動きを見ると私の解説が完全に正しく、毎日新聞はとんでもない誤報を垂れ流したことが証明されました。

少し長くなりましたね。何が言いたいかと言うと、毎日新聞を読んでいたら、夕刊1面のコラムに「国政選挙はどれだけ報道するのかな。総裁選は洪水のように報じまくったテレビ局」という文言がありました。

明らかに選挙期間中に選挙や政治家から遠ざかるテレビ番組を揶揄する文章です。

放送局がそうならざるを得ない放送法第4条を擁護する記事を長年書き続けている毎日新聞が、このコラムを書くのはあまりに恥知らずです。

新聞業界としては、放送法に縛られる放送局と真正面から対峙しなくてはいけなくなる放送法第4条撤廃には絶対反対なんでしょう。

「テレビは法の範囲内の言論の自由しかないメディアである」ことによって、新聞は「完全に言論の自由なメディア」としてテレビより優位に立てるわけですから。

しかし現在の放送業界に、「放送法第4条を撤廃すべきだ」という雰囲気は全くありません。一つには日本の地上波テレビ局がすべて新聞社の系列に属していて（日本では、あえてそうなるような放送行政が行われたのです。日本の政治家・官僚は放送免許を新聞社に与えることでマスコミ全体への影響力行使を図ったのです）、テレビ独自の見解が表面に出づらい産業構造にあることと、放送法第4条があることで「テレビは他のメディアよりも公平だ」という印象が日本社会で形成されていて、それが放送局の営業上好ましい現実があるからです。

ただ今のシステムに慣れた高齢の視聴者層が社会から退場した後、放送局は、新聞並みに自由な言論を持ち、放送局並みの伝播スピードを持つネットメディアと競争しなくてはいけない時代が必ず来ます。

その頃には、電波の希少性を理由に放送局を縛る必要性は薄れているでしょうし、そんな時代に放送法で手足を縛られた放送局が生き残れるはずがありません。

皆さん、なぜ、選挙期間中にテレビから政治報道が消えるのか？

その構造を知っておいてくださいね。

阪神・淡路大震災の苦い思い出

苦い思い出話です。

1月17日は阪神・淡路大震災の発生した日です。

最近は「発災」という言葉をニュースなどで多用していますが、私の記憶ではこの言葉が頻繁に使われ出すのは東日本大震災以降です。

阪神大震災当時は「発災」なんて言いませんでした。元々専門用語にあったのかもしれませんけどね。

私は地震に関して言い続けていることがあります。それは、

「地震は現在の人類の知恵では絶対に予知できない。『活断層地図』や『発生確率』なんてオカルトの類だ。いつどこで震度7の大地震が来ても大丈夫な体制を整えるべきだ。

阪神大震災に象徴される直下型の断層地震の場合、家が潰れなければそう簡単に死ぬことはない。平時の耐震診断、耐震補強こそ重要だ。

東日本大震災に象徴されるプレート型巨大地震で怖いのは津波だ。地震発生と津波到達の間には最低でも数分～数十分のタイムラグがある。とにかく海沿いの人は地震が発生したら、速やかに高台に避難せよ」

これが言いたいことのすべてです。

政府は当たらない地震予知や確率計算などに貴重な金と時間を使わず、日本沿海に津波計を設置したり、耐震補強に補助金を出したりすべきです。津波計があれば、2022年1月に起こったトンガ海底火山噴火による津波は、確実に予知できていました。

平時における「津波の高さ想定」も無駄ですから、防潮堤を高くしても問題は解決しません。それより、津波に対する避難経路確保と避難啓蒙のほうがはるかに命を守ることにつながります。

自力で避難できない人のために、病院や高齢者施設の高台移転を進めることはとても合理的です。ところが、京大土木工学科出身者等が先導する日本の建設利権グループが、兆円単位の税金を使って巨大な防潮堤建設工事などに邁進することを、誰も止められないんです。

政治家や一部マスコミは彼らの手先と化しています。

ちなみにテレビに出ている京大土木工学科のシンボルは「髭のFさん」や「防災専門家のKさん」です（笑）。

笑ってる場合じゃないですね。

テレビで思い当たる人を見かけたら、経歴を調べてみてください。

左派系文化人との決別

さて「テレビに出ている」と言えば、**阪神大震災は、いわゆる「進歩的文化人」と呼んでマスコミがもてはやしていた「左派系文化人」が馬脚を現し、私が決定的に思想的決別を果たすきっかけになりました。**

そのうちの一つである当時のTBSのキャスターC・T氏についての経験は、私のYouTubeチャンネルで語っておきました。すべて事実ですから別にイニシャル表示にしなくてもいいんですけど、名前を口にすること自体が汚らわしい気持ちなんです。

あえて書かなくてもみんなわかりますしね。

もう一人、私が人生で出会った最低の人物であるO・M氏について、ここで書いておきましょう。

この人、反米、反ベトナム戦争の旗手で鳴らした人で、1970年代以降、まさにマスコミの寵児、ある意味「カリスマ」的存在の人物でした。

阪神大震災発生から1週間ほどして、私は1時間ほどのドキュメンタリー番組に、リポーター・キャスターとして出演することになりました。私と一緒にコメンテーターとして局がブッキングしたのが件《くだん》のO氏だったんです。

朝からO氏と被災地を取材したのですが、お昼が近づくと突然O氏は「肉を食わせろ」と言い始めたのです。

震災から1週間、被災地で肉を食べられるはずがありません。

するとO氏は、「新神戸オリエンタルホテル（現ANAクラウンプラザホテル神戸）のステーキハウスは営業しているはずだ」と言うのです。

調べると確かに営業していました。しかし、ホテルのステーキハウスで10人を超えるスタッフ全員で食事するほどの金銭的余裕は番組にありません。そもそも誰もシティホテルに入れるような恰好をしていません。

それでも「肉を食わせないと取材しない」と言い張るO氏をなだめるために、やむなくO氏と番組のディレクター、プロデューサー、私の4人だけがオリエンタルホテルのステーキハウスでステーキを食べ、残りの10人近いスタッフは、寒風の戸外で待つことになったのです。

私は嫌でたまらなかったんですが、何せ当時30代の若造ですから従わざるを得ませんでした。一生の恥ですよね。

O氏は高級赤ワインまで注文しました。もちろん費用は全額番組経費です。番組経費ですが、報道のドキュメント番組なんて元々低予算ですから、この日の昼食代だけで予算が吹っ飛んだだろうと思います。

驚いたことにO氏は、食後に私と荒れ野原と化した激震地に立って、一日中取材したような口ぶりで、とうとうと、番組の締めコメントとなる文明論、震災論を語り、「これくらいでいいだろ」と宣言して家に帰ってしまったんです。

ところがこの日の取材分だけではとても1時間のドキュメンタリーを作るのに「尺」が足りず、翌日私一人で取材を続け、オンエアではあたかもO氏が終日取材したように装って放送されました。

またこの取材に前後して、O氏の長い文章が毎日新聞に掲載されたのですが、そこには「阪神大震災は、日本人のエゴと開発がもたらしたのだ。明石海峡大橋なんてものを建設して、淡路島と明石を結び付けて引っ張ったから地震が起きたのだ」という趣旨（少なくともこれは、私の記憶する文意です。実際の文章は、毎日新聞の縮刷版などで確認できるはずですから、興味のある人は原文に当たってください）の文章が掲載されていました。

私はこの経験以来、いわゆる「左派系文化人」を全く信用しなくなりました。

C氏とO氏が特別だった可能性はありますが、現代でも活躍する同種の皆さんに、私は同じ匂いを感じるんです。

でも今はつくづく思います。

「人生には反面教師が必要かもね」

おわりに

最近ゾッとした一番のニュースは、福島県で97歳の男性が運転する車が暴走して、中年女性をひき殺した事故です。でも、私がゾッとした理由はおそらく皆さんと違います。このニュースを知った多くの人は「高齢者の運転は危ない」と感じたでしょう。それが普通の感覚です。でも私は全く違う理由で「ゾッとした」のです。それは私が、日本における自動ブレーキと自動運転の開発、普及のプロセスを知っていたからです。

自動ブレーキの発想は古く、日本では世界に先駆けて今から25年ほど前に、すでに自動ブレーキの装置を載せた車が市販されはじめていたのです。

ところが、「車は運転免許を持った人間が運転する機械」という発想から、日本の役所が強力に指導して自動ブレーキ装着車の販売を止めさせてしまい、それから10年以上たってから、海外で発達した自動ブレーキの装置を輸入して国産車に装着する事態になりました。ところが日本で自動ブレーキの市販車販売が再開された当時、国の指導で、「自動ブレーキの作動は認めるが、最後は人間がブレーキを踏まないと完全に停止しない」という中途半端な性能の車になってしまいました。さすがに近年、明らかにバカバカしいこの仕組みは自動ブレーキ車から取り除かれましたが、いかに日本の役所がアホな権威を振りかざし、国内メーカーが役所の嫌がらせを恐れて、バカバカしい指導に唯々諾々と従うかわかるでしょう。

このバカバカしい指導に率先して従ったのが国内の某大手メーカーです。この大メーカーの市販車は高い燃費性能などから高齢者の人気が高く、その結果、高齢者が暴走事故を起こした現場では相当頻度でこのメーカーの特定車種の車を見かけるようになりました。

私が言いたいのは、「日本で最初に自動ブレーキ装着車が販売されたころ、日本の役所や大メーカーが真剣にこの装置の開発と販売に力を入れていたら、2022年に97歳の高齢ドライバーが車を暴走させても大事故は防げるようになっていたはずだ」ということです。中年女性の命を奪った直接の責任は97歳のドライバーにありますが、自動ブレーキの普及を妨げた日本の役所と大メーカーの責任も大きいと思うのです。むしろ後者が死亡事故の「真犯人」と言えるかも知れません。

私は、高齢者の運転免許返納運動に大反対です。この運動は、ここに書いた構造を糊塗するための間違ったキャンペーンだと確信しています。私は講演などで、高齢者に向けて、「絶対に運転免許を返納しないでください」と呼びかけています。同時に「高齢等の理由で運転に不安を感じる人は、自動ブレーキなどの付いていない車のハンドルを握らないでください」

とも言っています。

なぜ高齢者が運転免許を返納してはいけないのか？

まもなく、認知症のドライバーがハンドルを握っても大事故を起こさない車が一般化するでしょうが、「絶対」に事故を起こさない車の開発は無理です。すべての事柄に「絶対」はありません。先ごろ、Twitterを「永久追放」されていたトランプ前アメリカ大統領のアカウントが復活しました。「永久追放」は「復活の可能性がゼロ」だから「永久」なわけで、復活するということは、そもそも「永久」じゃなかったってことです。マスコミがいかにいい加減に言葉を使うかを象徴するニュースです。

Twitterの話はともかく、「絶対」に事故を起こさない車の開発は不可能です。ただ、運転者がミスをする確率と、自動ブレーキなどのシステムが誤作動するリスクを考えると、人間としては残念ですが、機械の方が圧倒的に信頼できます。

しかし「大事故を高確率で自動回避できる車」が販売されても、日本の役所の規制の在り方から見て、そんな車でも運転免許は必要のままでしょう。運転免許制度自体が役所の利権ですから、そう簡単に利権を手放しません。「大事故を高確率で自動回避できる車」の専用免許制度はスタートするでしょうが、これまでの流れを見る限りこの種の免許を高齢者が新規に取得する道は閉ざされるはずです。あくまでも「免許を保有する高齢者が専用免許に移行できる」という制度にしかならないでしょう。その場合、「過去に免許を持っていた」という実績は考慮されませんから、免許を返納して「無免許」になっていると専用免許を取得できず、「事故を起こさない車」にも乗れなくなってしまうのです。

運転に不安がある人は運転してはいけません。しかし、免許を返納して無免許になる必要もありません。そんな時代に「免許更新のための認知症検査」なんていう人権侵害の制度も必要ありません。今の日本の役所の方向性は根本的に間違っています。この間違いを指摘するどころか、率先してお先棒を担ぐマスコミも間違っています。

本書は、この国に溢れかえるこの種の間違いに「気づき」を促す本です。本書に出会った皆さんが、さまざまな「日本の間違い」に気づいて、日本を正しい進路に復帰させる原動力になることを心から期待します。

日本の酷いポピュリズム政治の中で、正しい世論こそが、国の進路を正す唯一の希望ですから。

太平洋に浮かぶ船の上から――辛坊 治郎

〈著者略歴〉
辛坊治郎（しんぼう　じろう）
1956年大阪府出身。早稲田大学法学部卒業後、讀賣テレビ放送に入社。プロデューサー・報道局解説委員長等を歴任し、現在は大阪綜合研究所代表。「そこまで言って委員会NP」「ウェークアップ！ぷらす」「朝生ワイドす・またん！」「辛坊治郎ズームそこまで言うか！」などのテレビ・ラジオ番組で活躍。近著に『風のことは風に問え―太平洋往復横断記』（扶桑社）、『日本再生への羅針盤～この国の「ウイルス」を撲滅するにはどうしたらいいのか？』（光文社）などがある。

この国は歪んだニュースに溢れている

2023年1月10日　第1版第1刷発行
2023年2月20日　第1版第4刷発行

著者　辛坊治郎
発行者　岡修平
発行所　株式会社ＰＨＰエディターズ・グループ
〒135-0061　江東区豊洲5-6-52
☎03-6204-2931
http://www.peg.co.jp/
発売元　株式会社ＰＨＰ研究所
東京本部　〒135-8137　江東区豊洲5-6-52
普及部　☎03-3520-9630
京都本部　〒601-8411　京都市南区西九条北ノ内町11
PHP INTERFACE　https://www.php.co.jp/
印刷所
製本所　凸版印刷株式会社

ISBN978-4-569-85394-9